Guia de Conversação Inglês PARA LEIGOS™

2ª Edição

Gail Brenner

ALTA BOOKS
EDITORA

Rio de Janeiro – 2010

Guia de Conversação Inglês Para Leigos
Copyright © 2010 da Starlin Alta Con. Com. Ltda. ISBN: 978-85-7608-478-5

Original English language edition Copyright © 2007 by Wiley Publishing, Inc. by Gail Brenner. All rights reserved including the right of reproduction in whole or in part in any form. This translation published by arrangement with Wiley Publishing, Inc. Portuguese language edition Copyright © 2010 da Starlin Alta Con. Com. Ltda. All rights reserved including the right of reproduction in whole or in part in any form. This translation published by arrangement with Wiley Publishing, Inc

"Willey, the Wiley Publishing Logo, for Dummies, the Dummies Man and related trad dress are trademarks or registered trademarks of John Wiley and Sons, Inc. and/or its affiliates in the United States and/or other countries. Used under license.

Todos os direitos reservados e protegidos pela Lei 5.988 de 14/12/73. Nenhuma parte deste livro, sem autorização prévia por escrito da editora, poderá ser reproduzida ou transmitida sejam quais forem os meios empregados: eletrônico, mecânico, fotográfico, gravação ou quaisquer outros.

Todo o esforço foi feito para fornecer a mais completa e adequada informação, contudo a editora e o(s) autor(es) não assume responsabilidade pelos resultados e usos da informação fornecida. Este livro não contém CD-ROM, disquete ou qualquer outra mídia.

Erratas e atualizações: Sempre nos esforçamos para entregar ao leitor, um livro livre de erros técnicos ou de conteúdo; porém, nem sempre isso é conseguido, seja por motivo de alteração de software, interpretação ou mesmo quando alguns deslizes que constam na versão original de alguns livros que traduzimos. Sendo assim, criamos em nosso site, www.altabooks.com.br, a seção Erratas, onde relataremos, com a devida correção, qualquer erro encontrado em nossos livros.

Avisos e Renúncia de Direitos: Este livro é vendido como está, sem garantia de qualquer tipo, seja expressa ou implícita.

Marcas Registradas: Todos os termos mencionados e reconhecidos como Marca Registrada e/ou comercial são de responsabilidade de seus proprietários. A Editora informa não estar associada a nenhum produto e/ou fornecedor apresentado no livro. No decorrer da obra, imagens, nomes de produtos e fabricantes podem ter sido utilizados, e desde já a Editora informa que o uso é apenas ilustrativo e/ou educativo, não visando ao lucro, favorecimento ou desmerecimento do produto/fabricante.

Impresso no Brasil

O código de propriedade intelectual de 1º de julho de 1992 proíbe expressamente o uso coletivo sem autorização dos detentores do direito autoral da obra, bem como a cópia ilegal do original. Esta prática generalizada, nos estabelecimentos de ensino, provoca uma brutal baixa nas vendas dos livros a ponto de impossibilitar os autores de criarem novas obras.

Produção Editorial: Starlin Alta Con. Com. Ltda. **Gerência Editorial**: Anderson Vieira / Carlos Almeida
Supervisão de Produção: Angel Cabeza / Augusto Coutinho / Leonardo Portella
Equipe Editorial: Andréa Bellotti / Deborah Marques / Heloísa Pereira / Sérgio Cabral
Tradução: Ricardo Sanovick **Revisão**: Ana Carolina Soares
Revisão Técnica: Maya Mann e Anderson Alexandre **Revisão Técnica 2ª Edição**: Bianca Capitanio
Diagramação: Lúcia Quaresma **Fechamento**: Luis Rodrigues

ALTA BOOKS
EDITORA

Rua Viúva Cláudio, 291 - Bairro Industrial do Jacaré
CEP: 20970-031 - Rio de Janeiro – Tel: 21 3278-8069/8419 Fax: 21 3277-1253
www.altabooks.com.br – e-mail: altabooks@altabooks.com.br

Sobre a Autora

Gail Brenner fala inglês desde 1951 quando disse sua primeira frase, "Bebê, disse adeus, adeus". A partir desse momento melhorou rapidamente, e aos 6 anos, já ensinava para a sua primeira sala de inglês, um público atento formado por bonecas.

Tempos depois, quando estava diante de um grupo real (e infinitamente ativo) de estudantes, viu que tinha encontrado sua vocação. Durante os últimos 15 anos, Gail ensinou inglês como segundo idioma (ESL), preparou estudantes para a prova TOEFL, ensinou pronúncia, redação acadêmica e uma grande quantidade de cursos para pessoas maravilhosas de todas as partes do mundo. Atualmente dá aulas em sua universidade, a University of California, Santa Cruz (UCSC), onde obteve licenciatura em literatura inglesa e docência.

Sumário

Introdução 1

    Sobre Este Livro 2
    Convenções Usadas Neste Livro 2
    Suposições Tolas 3
    Ícones Usados Neste Livro 3
    Como Começar 4

Capítulo 1: Falando em Inglês Americano 5

    Vamos Praticar o ABC 5
    Pronúncia das Consoantes 6
        Dois tipos de sons das consoantes: sonoros e surdos 7
        A problemática do th 8
        B versus V 9
        L versus R 10
    Como Dizer "Ah" e Outras Vogais 12
        A amplitude das vogais 12
        A vogal a 13
        A vogal e 13
        A vogal i 14
        A vogal o 15
        A vogal u 16
    Conduzindo o Ritmo 16
        Marcando o compasso 17
        Enfatizando as palavras importantes 18
        Enfatizando a sílaba correta 19

Capítulo 2: Gramática num Instante: Somente o Básico 21

    Construção de Orações Simples 21
    Construção de Orações Negativas 22
        No versus not 22
        Usando contrações como um falante de inglês 23
    Perguntas, Perguntas e Mais Perguntas 24
        Perguntas com o verbo "to be" 24
        Perguntas com o auxiliar "do" 25
        Perguntas com what, when, where e why 25
    Substantivos: Pessoas, Lugares e Objetos 27

vi **Guia de Conversação Inglês Para Leigos**

You e I: Pronomes Sujeito 28
Ser Possessivo: Pronomes e Adjetivos Possessivos 31
Verbos: Expressando Ações, Sentimentos e Estados de Ser..32
Verbos regulares..33
Verbos irregulares...34
Ser ou não ser: o uso do verbo "to be" 35
Não se Prenda nos Tempos 36
Presente simples..37
Presente Contínuo...37
Passado simples...39
Passado contínuo...40
Futuro: will e going to 41
Adjetivos: Dá Sabor ao Idioma...41
Dando cor e quantidade..42
Expressando sentimentos..43
Descrevendo caráter e habilidade 43
Advérbios: Dando Caráter aos Verbos..................................43
Os Três Artigos: A, an e the 45

Capítulo 3: Sopa de Números: Contando Tudo 47

1, 2, 3: Números Cardinais 47
Segundo e Terceiro: Números Ordinais 49
Horas 50
Dias, Meses e Datas 53
Meses do ano 53
Dias da semana..53
Falando em datas 54
Dinheiro, Dinheiro, Dinheiro 54
Como trocar seu dinheiro pela moeda local..................56
No banco...57
Usando o caixa automático 58
Põe na minha conta!: Usando cartões de crédito 60

Capítulo 4: Fazendo Novos Amigos e
Conversando de Maneira Informal..63

Saudações 63
Perguntando "Como você está?"....................................64
Alguns cumprimentos informais 65
Despedidas 66
Apresentações...67
Apresentando você mesmo..67

Sumário *vii*

Apresentando aos outros.. 68
O Que Vem Depois De Um Nome? 69
   Nomeando nomes.. 69
   Títulos e termos de respeito.. 70
Descrições De Pessoas – Baixo, Alto, Grande e Pequeno... 71
   Os olhos e os cabelos.. 71
   Alcançando novas alturas... 73
   Jovens e velhos 73
Perguntas Simples para Quebrar o Gelo............................. 75
Falando do Clima 76
Para Manter a Conversa Viva 77
   Onde mora?.. 78
   Falemos de negócios: O trabalho e a escola 78
   Gostos e preferências... 79
A Família 81

Capítulo 5: Apreciando uma Boa Comida e Bebida 83

Expressando Fome e Sede 84
As Três Refeições.. 84
   O que temos para o café da manhã?............................ 85
   O que temos para o almoço?....................................... 86
   O que temos para jantar? 86
Para Comer em um Restaurante... 88
Como Fazer um Pedido 89
   Carne... 90
   Batatas.. 90
   Temperos para a salada.. 90
   Refrescos ou bebidas 91
   Falando com o garçom 91
Pronto para a Sobremesa e... 92
"A conta por favor".. 92

Capítulo 6: Vamos às Compras 95

O Supermercado 95
   Andando pelos corredores 96
   Comprando frutas e verduras..................................... 96
   O uso de substantivos quantitativos e numéricos................. 97
   No caixa.. 99
Meu Tamanho Exato: Comprando Roupa 100
   Só estou olhando 100
   A roupa.. 101

viii   **Guia de Conversação Inglês Para Leigos**

O tamanho adequado 102
Provando a roupa 103
Do Pequeno ao Grande: Uso do Comparativo 104
Só o melhor: o uso de superlativo... 104

Capítulo 7: O Tempo Livre...107

Como se Informar das Atividades de um Lugar...................... 107
Como Obter Informação 109
Convidando 109
Lugares para Sair à Noite.. 110
O que Fazer no Tempo Livre?.. 111
O que eu gosto de fazer 111
O verbo do jogo: to play 112
Esportes 113
"Vai, vai, foi!": o beisebol... 113
A diferença entre futebol americano e o futebol "soccer"... 114
A natureza 114
Esportes de inverno e verão... 115
Acampamento 116
Siga o caminho... 116
Você já...? Passatempos 118

Capítulo 8: Quando É Preciso Trabalhar..121

Onde Você Trabalha? 122
Conversando Sobre o Trabalho 122
O que você faz?.. 122
As profissões 123
Ao Trabalho!.. 124
Equipamento de Escritório.. 126
Tempo é Ouro... 126
Horário de trabalho... 128
A hora do almoço e do "cafezinho" 128
Fazendo Chamadas Telefônicas Como Todo Profissional 131
Trim, trim! Como atender uma chamada 131
Fazendo uma ligação... 132
Como deixar um recado 134
Perdão! Disquei o número errado 135

Capítulo 9: Andando Pela Cidade: Meios De Transporte 137

Para Entrar e Sair do Aeroporto 137

Sumário *ix*

Usando o Transporte Público 139
    Chamando um táxi 141
    Viagens longas de ônibus, trem ou avião 141
Aluguel de Carro 143
    Na locadora de carros 143
    No caminho 144
    Comprando gasolina 145
Pedindo Orientações 146
    Como chego em...? 147
    Viajar na direção certa 148
    Preposições de lugar 150
    Para o norte ou para o sul? 151

Capítulo 10: Um Lugar para Descansar **153**

A Casa e o Lar 153
Bem-vindos: visita 157
Limpeza e Consertos na Casa 158
    A limpeza 158
    Como resolver problemas e fazer consertos 160
Uma Noite Fora de Casa 161
    As reservas 161
    O registro 163
    Registro de saída 165

Capítulo 11: Como Enfrentar as Emergências **167**

Como Agir diante de uma Emergência 167
    Pedindo ajuda e advertindo os outros 168
    Discando o 911 169
Com o Médico 170
    Onde dói? 171
    Mal estar e dores: Descrição de sintomas 173
Abra a Boca: Visita ao Dentista 174
Quando Há um Crime 175

Capítulo 12: Dez Erros para Evitar ao Falar Inglês **177**

Making Out at the Gym 177
Your Wife Is Very Homely 178
You Smell! 178
My Mom Cooks My Friends For Dinner 179
Friends and Lovers 179

x **Guia de Conversação Inglês Para Leigos**

I Wet My Pants..180
Where I Leave My Privates 181
I Swear!..181
I Love Your Husband 182
Never Make No Double Negatives 182

Capítulo 13: Dez Palavras Que São Confundidas Facilmente 185

Coming e Going...185
Borrowing e Lending 186
Such e So..187
Like e Alike..188
Hearing and Listening 188
Seeing, Looking At e Watching......................................189
Feeling e Touching..189
Lying e Laying 190
Tuesday e Thursday..191
Too e Very..191

Índice Remissivo 193

A 5ª Onda — Por Rich Tennant

"Rápido! Como desculpar-se com um urso enorme que distribui folhetos de circo em um monociclo?"

Introdução

onhecer as bases de um idioma é como entrar em uma aventura e em uma oportunidade. E, hoje em dia, saber se comunicar em inglês, mesmo que seja o básico, é muito útil, senão essencial.

A cada ano, o número de falantes de inglês aumenta significativamente. Atualmente, uma em cada seis pessoas fala inglês, que é o idioma mais falado em todo o mundo por pessoas cuja origem não é um país onde se fala o inglês.

Além disso, o inglês é usado na maioria das chamadas internacionais, correspondências, correios eletrônicos, radiocomunicações, textos de informática e comunicações de controle de tráfego aéreo. No geral, é o idioma comum utilizado em situações de negócios e educação. Por isso, sem um conhecimento básico de inglês, pode-se ficar, diríamos, sem palavras.

Falar inglês não é como ter uma varinha mágica; é apenas uma "ferramenta" que pode ajudar você a se comunicar. Imagine que cada nova habilidade, ou frase que você descubra é um intrumento que pode ser guardado em sua "caixa de ferramentas" de inglês. Quando precisar de uma ferramenta, abra a sua caixa e selecione a que precisar para este trabalho em particular, como falar do passado, fazer uma pergunta, dizer o que gosta e o que não gosta, e muito mais.

E lembre-se de que, nas interações da vida diária, em geral, podemos nos expressar com um número mínimo de palavras e enunciados de estruturas básicas. Vá em frente, mergulhe de cabeça!

Sobre Este Livro

Qual é a vantagem de ler *Guia de Conversação Inglês Para Leigos*? Você consegue se imaginar viajando, vivendo ou trabalhando em um país que fala a língua inglesa e se comunicar sem nenhum problema com as pessoas deste lugar? Para você, falar inglês é uma meta antiga, um passatempo interessante, ou um requisito de trabalho?

Qualquer que seja a razão para aprender a falar inglês, O *Guia de Conversação Inglês Para Leigos* pode ajudá-lo a começar. Não prometo que você falará como um nativo ao terminar o livro, mas poderá conhecer e cumprimentar as pessoas, fazer perguntas simples, usar o telefone, fazer pedidos em restaurantes, comprar em barracas e lojas, convidar alguém para sair e muito mais!

Este não é um daqueles livros chatos que você tem de absorver página após página tampouco é um curso de um semestre que você precisa ir obrigatoriamente duas vezes por semana. *O Guia de Conversação Inglês Para Leigos* representa uma experiência diferente. Você decide seu próprio ritmo, pode ler o quanto desejar, ou simplesmente folheá-lo ou demorar nas seções que chamem a atenção.

Nota: Se esta é a sua primeira experiência com o inglês, convém começar pelos capítulos 1 e 2 para conhecer as bases, como gramática simples e pronúncia, antes de continuar com as outras seções. Mas é você quem manda e quem decide.

Convenções Usadas Neste Livro

Para tornar mais fácil o uso deste livro, estabeleci algumas regras:

- As palavras em **negrito** são usadas para identificar facilmente as palavras em inglês. Essas palavras estão seguidas pela sua pronúncia e tradução.

Introdução **3**

> ✔ As palavras em *itálico* são empregadas ao lado das palavras em negrito para mostrar a pronúncia.

Não esqueça que um idioma pode expressar a mesma ideia ou conceito de maneira diferente; a tradução do termo em inglês pode não ser literal. Algumas vezes, é preciso conhecer a essência do que se diz, não o significado puro das palavras.

Suposições Tolas

Para escrever este livro tive que fazer algumas suposições básicas sobre quem é você e sobre o que quer desse livro. A seguir estão algumas das minhas suposições:

> ✔ Você não sabe nada de inglês, ou cursou inglês na escola, mas já esqueceu quase tudo. Ou sabe muito inglês, mas adora ler livros da série *Para Leigos*.
> ✔ Você não quer passar horas em uma sala de aula; quer aprender inglês em seu próprio ritmo.
> ✔ Você quer um livro curto e simples que lhe ensine gramática básica e muitas frases úteis.
> ✔ Você não quer uma fluência imediata, mas quer poder usar alguns termos e expressões em inglês.
> ✔ O título *Guia de Conversação Inglês Para Leigos* chamou sua atenção.

Se uma dessas suposições está correta, você encontrou o livro certo!

Ícones Usados Neste Livro

Neste livro haverá ícones (pequenos desenhos) nas margens esquerdas. Estes ícones indicam, de maneira rápida, informações importantes ou enriquecedoras. A seguir, seus significados.

4   Guia de Conversação Inglês para Leigos

 Este ícone oferece conselhos que irão ajudá-lo a falar inglês de um modo mais fácil.

 Este ícone serve como lembrete para que não se esqueça de uma informação importante; é como um laço amarrado em seu dedo.

 Este ícone identifica algumas peculiaridades e particularidades da gramática.

 Se você busca informações culturais, este ícone mostra dados interessantes sobre países em que a língua falada é o inglês (principalmente os Estados Unidos).

Como Começar

Você não precisa ler este livro do começo ao fim; utilize o método que preferir. Se preferir seguir o caminho mais direto, comece com o capítulo 1, mas se quiser folhear o livro e escolher o que chama sua atenção, não hesite! Não sabe por onde começar? Leve o livro com você e use-o para iniciar uma conversa. Alguém vai lhe perguntar coisas sobre o livro, e você vai falar inglês antes do que pensava! Qualquer que seja o método utilizado, garanto que você aproveitará este livro e descobrirá muito inglês no caminho.

Capítulo 1

Falando em Inglês Americano

Neste capítulo

- ▶ Pronúncia das 26 letras do alfabeto
- ▶ Domínio de alguns sons difíceis de consoantes
- ▶ Prática dos 15 (aproximadamente) sons de vogais
- ▶ Descoberta da música e ritmo do inglês norte-americano

*T*er uma boa pronúncia é o segredo para evitar os mal-entendidos, satisfazer as necessidades e simplesmente apreciar uma boa conversa. Dominar a pronúncia do inglês leva tempo, portanto, seja paciente, persevere e não tenha medo de rir de si mesmo quando cometer um erro.

Este capítulo apresenta um guia básico para a pronúncia correta dos vários sons das vogais e consoantes, e mostra quando e onde colocar a entonação em várias palavras.

Vamos Praticar o ABC

Um bom ponto para começar a praticar a pronúncia em inglês é recitando os **ABCs** (*ei-bi-cis*/ABC). A lista a seguir mostra as 26 **letters** (*lé-ters*; letras) do **alphabet** (*al-fa-bét;* alfabeto) junto com a pronúncia de cada letra.

6   Guia de Conversação Inglês para Leigos

a (*ei*)   **b** (*bi*)   **c** (*ci*)   **d** (*di*)
e (*i*)   **f** (*ef*)   **g** (*dji*)   **h** (*eidj*)
i (*ai*)   **j** (*djei*)   **k** (*kei*)   **l** (*el*)
m (*em*)   **n** (*en*)   **o** (*ou*)   **p** (*pi*)
q (*kiu*)   **r** (*ar*)   **s** (*es*)   **t** (*ti*)
u (*iu*)   **v** (*vi*)   **w** (*dabl-iu*) **x** (*ex*)
y (*uai*)   **z** (*zi*)

Embora o inglês tenha apenas 26 letras, ele tem aproximadamente 44 sons diferentes! (Mas há variações dos sons que dependem dos sotaques de cada região). Algumas letras têm mais de um som, e algumas vogais podem ter vários sons! Por isso, é que pode ser difícil deduzir como se pronunciam novas palavras. (E não é prático memorizar todo o dicionário em inglês!)

As seções seguintes oferecem alguns conselhos práticos e regras para dominar os sons do inglês. (Não falarei sobre os 44 sons, mas identificarei alguns dos que podem causar problemas).

Para obter uma pronúncia clara e precisa em inglês, deve-se *abrir* a **mouth** (*mauth*; boca) e *soltar* os **lips** (*lips*; lábios), o **jaw** (*djó*; mandíbula) e a **tongue** (*tong*; língua). Não seja tímido. Olhe no espelho enquanto pratica e assegure-se de mover e esticar a boca para que os sons saiam claros e fortes.

Pronúncia das Consoantes

As **consonants** (*con-so-nants*; consoantes) em inglês podem parecer com as consoantes do seu idioma – caso for um idioma com raízes latinas ou germânicas – mas não soam iguais. E, além do mais, em inglês, a consoante **y** pode funcionar como uma vogal quando aparecer em palavras que não têm outras vogais, como **by** (*bai*; por) ou **try** (*trai*; tentar).

Capítulo 1: Falando em Inglês Americano   **7**

Pronunciar de maneira clara os sons das consoantes em inglês não é mágica; é um processo mecânico. Se você colocar os lábios e a língua na posição correta e mover a boca de uma maneira específica, o som correto sairá (geralmente) como se fosse mágica!

Dois tipos de sons das consoantes: sonoros e surdos

A maioria dos sons das consoantes em inglês é **voiced** (*vóist*; sonoros), o que significa que se deve empregar a voz e colocar a boca de maneira correta para pronunciá-los. Alguns sons de consoantes são **voiceless** (*vois*-les/ surdos), o que significa que não se usa a voz para pronunciá-las, o som que sai se assemelha a um suspiro.

Cada consoante surda tem um par sonoro (uma consoante que se forma exatamente da mesma maneira na boca que a surda, mas com uso da voz). Por exemplo, tem-se o som surdo do **p** juntando os lábios e empurrando o ar para fora ao produzir o som. Ele deve soar como um sopro pequeno e suave – um murmúrio. Para produzir seu par sonoro, o som **b**, coloque os lábios exatamente na mesma posição que usou para o som **p** e empurre o ar para fora, mas, dessa vez, use a voz ao falar. O som tem de vir do fundo da garganta.

Estes são alguns pares surdos e sonoros:

Voiceless	Voiced
f (f)	**v** (v)
k (k)	**g** (g forte)
p (p)	**b** (b)
s (s)	**z** (z como uma abelha)
t (t)	**d** (d)
sh (ch como embalando um bebê)	**ch** (ch)
th (dh)	**th** (th)

8 Guia de Conversação Inglês para Leigos

Nas seções seguintes dou mais detalhes sobre a pronúncia dos sons surdos e sonoros, junto com alguns conselhos para distinguir o **b** do **v** e o **p** do **f**.

A problemática do th

Você tem problemas para pronunciar a consoante **th**? Esta consoante aparece muito no inglês. De fato, surpreenderia-me saber que em inglês não há um, mas dois sons **th**! Por exemplo:

- O som do **th** nas palavras **those** (*dhous*; esses;essas;aqueles), **other** (*ó-dher*; outro), e **breath** (*bridh*/repirar) é profundo e utiliza a voz.
- O som do **th** em **thanks** (*thenks*; obrigado), **something** (*som-thin*; algo) e **bath** (*béth*; banho) é suave como um suspiro.

Quando é para falar a palavra **that** (*dhét*/este, esta; aquilo; aquela), soa como **dat** (*dét*) ou como **zat** (*zét*)? E quando você quer falar a palavra **think** (*thinc*/pensar), soa como **tink** (*tink*) ou **sink** (*sink*)? Caso a resposta seja sim, você não está sozinho. O problema é que você está deixando a língua dentro da boca, atrás dos dentes frontais. Você deve tirar um pouco a língua para produzir o som **th**. Ou coloque a ponta da língua entre os dentes (mas não morda!) para fazer o som de **th**.

Tente pronunciar estas palavras com o som do **th** profundo a princípio:

- **There** (*dher*; lá)
- **These** (*dhi-iz*; esses)
- **They** (*dhei*; eles)
- **This** (*dhiz*; isto)
- **Those** (*dhouz*; aqueles)

Agora pratique estas palavras com o som do **th** suave no início:

Capítulo 1: Falando em Inglês Americano 9

- **Thank you** (*thenk you*; obrigado)
- **Thing** (*thing*; coisa)
- **Think** (*thinc*; pensar)
- **Thirty-three** (*thâr-ti thri*; trinta e três)
- **Thursday** (*thârs-dei*; quinta-feira)

B versus V

Em inglês, os sons **b** e **v** são tão diferentes como a noite e o dia. Os lábios e a língua fazem movimentos completamente diferentes para produzir esses dois sons. É importante compreender como pronunciá-los corretamente – pode ser que você se sinta um pouco constrangido se dizer **I want to bite you** (*ai uant tu bait iu*; Eu quero te morder) quando queria dizer **I want to invite you** (*ai uant tu in-vait iu*/Quero te convidar).

Essa é uma maneira fácil de fazer com que **b** e **v** soem diferentes:

- Para o **b**, comece com os lábios juntos e abra-os ligeiramente ao soltar o ar e pronuncie o som. Certifique-se de utilizar a voz; de outra forma irá dizer **p**.
- Para dizer o **v**, coloque ligeiramente os dentes frontais sobre o lábio inferior (mas não deixe que toquem os lábios). Agora pronuncie o som. Utilize a voz, senão falará **f**.

  Pratique esses sons na frente do espelho para garantir que a sua boca esteja "cooperando".

Tente pronunciar estas palavras com **b** e **v**:

- **Berry/ very** (*bé-ri*; frut/;*vé-ri*; muito)
- **Best/vest** (*bést*; superior/*vést*; colete)
- **Bite/invite** (*bait*; morder/*in-vait*; convidar)
- **Boat/vote** (*bout*; barco/*vout*; voto)

Tente pronunciar estas palavras e frases, fazendo uma clara distinção entre **b** e **v**:

10 Guia de Conversação Inglês para Leigos

> ✔ **I have a bad habit.** (*ai hév a béd hébit*; Eu tenho um mau hábito.)
> ✔ **Beverly is the very best driver.** (*bé-ver-li iz dhã vé-ry bést drai-ver*; Beverly é a melhor motorista.)
> ✔ **Valerie voted for Victor.** (*val-e-ri vou-ted fór vic-tor*; Valerie votou em Victor.)
> ✔ **Everybory loves November.** (*évri-bódi lãvs no-vem ber*; Todo mundo ama novembro.)

O som **p** em inglês é a versão **voiceless** (ou suave) de **b**; o som de **f** é um **v** surdo. Forme o **p** e **f** da mesma forma que **b** e **v**, mas sem usar a voz.

L versus R

Você tem problemas para escutar a diferença entre **l** e **r**? Já disse **alive** (*a-láiv; vivo*) quando queria dizer **arrive** (*a-ráiv; chegar*); ou disse **grass** (*grés, grama*) ao invés de **glass** (*glés; vidro*)?

O **l** e o **r** são sons muito diferentes em inglês, e a boca deve se movimentar de modo diferente para produzir cada som.

Formação de um som claro de **l**:

1. **Coloque a ponta da língua atrás dos dentes da frente.**
2. **Solte um pouco o queixo relaxe os lábios.**
3. **Agora, olhe-se no espelho. Está vendo a parte inferior de sua língua? Se sim, muito bem. Se não, abaixe um pouco mais o queixo.**
4. **Mova rapidamente a língua para baixo para pronunciar o som.**

Pratique com as palavras a seguir:

> ✔ **alive** (*a-láiv; vivo*)
> ✔ **glass** (*glés; vidro*)
> ✔ **like** (*láik; igual*)
> ✔ **telephone** (*te-le-fon; telefone*)

Capítulo 1: Falando em Inglês Americano *11*

Quando o som de **l** estiver no final de uma palavra, mantenha a língua no alto e atrás dos dentes da frente por alguns instantes. Tente pronunciar estas palavras com **l** no final:

- **little** (*li- tl; pequeno*)
- **sell** (*sél; vender*)
- **table** (*tei-bol; mesa*)
- **thankful** (*thénk-ful; agradecido*)

É um pouco mais difícil produzir o som do **r**, pois requer mais controle de língua. Faça assim:

1. **Imagine que você irá beber o líquido de um copo. Coloque os lábios à frente e deixe-os um pouco arredondados.**
2. **Enrole ligeiramente a ponta da língua dentro da boca.**
3. **Não deixe a ponta da língua tocar o palato.**

Pratique dizendo as palavras a seguir:

- **around** (*a-ráund; ao redor*)
- **car** (*cár; carro*)
- **read** (*réd; ler*)
- **write** (*ráit; escrever*)

Agora, tente pronunciar algumas palavras com **l** e **r**:

- **real** (*re-ál; real*)
- **recently** (*ré-cent-li; recentemente*)
- **relax** (*ri-lécs; relaxar*)
- **rock-'n'-roll** (*róc-énd-rol; rock and roll*)

12   Guia de Conversação Inglês para Leigos

Como Dizer "Ah" e Outras Vogais

Existem seis vogais em inglês – **a, e, i, o, u** e algumas vezes **y** – mas existem cerca de 15 sons! Infelizmente, o inglês tem poucas regras de ortografia que mostram como pronunciar as vogais e suas combinações quando aparecem nas palavras. Porém, com um pouco de prática, pode-se aprender a formar rapidamente todos os diferentes sons.

A amplitude das vogais

Os sons vocálicos em inglês estão divididos aproximadamente em três categorias: **short vowels** (*chórt vauls*; vogais curtas), **long vowels** (*long vauls*; vogais longas) e **diphthongs** (*difthons;* ditongos). Leia as diferenças gerais entre as três:

- Vogais curtas: mais curtas e geralmente mais suaves que as outras vogais. Um padrão ortográfico comum para as vogais curtas é consoante + vogal + consoante. Estes são alguns exemplos: **can** (*kén*; lata), **fun** (*fan*; divertido); **spell** (*spél*; soletrar); **with** (*uidh*; com).

- Vogais longas: sua pronúncia é mais longa e geralmente um pouco mais forte e com tom mais alto que as outras vogais. Um padrão comum para vogais longas é vogal + consoante + **-e** final, como nas palavras **chute** (*chut*; calha); **late** (*leit*; tarde); **scene** (*si-in*; cena); **vote** (*vout*; voto).

- Ditongos: são as vogais que são pronunciadas como uma sílaba só. Quando pronunciar ditongos em inglês comece com o primeiro som e logo diga o segundo. Enfatize mais o primeiro, mas tenha certeza de pronunciar o segundo. Pratique com estes exemplos: **boy** (*bói*; menino); **now** (*nau*; agora); **say** (*sei*; dizer); **time** (*taim*; tempo).

Capítulo 1: Falando em Inglês Americano *13*

A vogal a

Em vários idiomas a letra **a** é pronunciada como ***ah***, como em ***father*** (f*a-der*; pai). Porém, em inglês, o **a** poucas vezes tem o som de *ah*. Observe as seguintes explicações:

- O som de **a** longo – como os que aparecem nas palavras **ate** (*eit*; comi) , **came** (*keim*; vim) e **day** (*dei*; dia) – é um **diphthong** (*difthon*; ditongo). Para pronunciar o **a** longo, comece com o som de **eh** e termine com o som de **ee**, unindo-os suavemente.
- O som do **a** curto – como em **at** (*ét*; em), **hand** (*hénd*; mão) e **glass** (*glés*; vidro) – é produzido ao abrir a boca como se fosse dizer ***ah***, mas esticando os lábios como se fosse um sorriso (ou careta) enquanto diz o som.
- Outro som a que se pode pronunciar é **aw**, o qual é parecido com o som do **o** curto, principalmente em algumas regiões. Para diferenciar o **aw** do **ah**, posicione os lábios para dizer **oh**, mas baixe o queixo. O som de **aw** geralmente é escrito como **–aw, -alk, -ought,** e **–aught.**

A vogal e

O som do **e** longo geralmente tem a seguinte ortografia: **be** (*bi*; ser/estar), **eat** (*i-it*; comer), **see** (*si-i*; ver) e **seat** (*si-it*; sentar). Esse som é obtido fazendo uma espécie de sorriso e esticando os lábios para trás. Aumente o som, não corte. Outras formas de representar o som do **e** longo são **ie** e **ei**, como em **believe** (*bi-li-iv*; acreditar) e **receive** (*ri-ci-iv*; receber).

O som do **e** curto, como em **ten** (*ten*; dez), **sell** (*sél*; vender) e **address** (*a-drés*; endereço) é feito abrindo um pouco a boca e esticando os lábios para trás para formando um leve sorriso. O **e** curto geralmente é representado com as letras **ea**, como em **head** (*héd*; cabeça), **bread** (*bréd*; pão) e **ready** (*rédi*; pronto).

Pratique a pronúncia do longo e do curto com as seguintes orações:

- E longo: **We see three Green trees.** (*ui si thri gri-in triz*; Nós vemos três árvores verdes)
- E curto: **Jenny went to sell ten red hens.** (*je-ni uent tu sél ten réd hens*; Jenny foi vender dez galinhas vermelhas)
- Os dois sons: **Please send these letters.** (*pli-iz send dhi-is lé-ters*; Por favor, envie estas cartas)

A vogal i

O **i** longo é um ditongo. Para produzir esse som, comece pronunciando **ah** e termine pronunciando **ee**, unindo-os sons suavemente, como em **time** (*taim*; tempo), **like** (*laik*; gostar) e **arrive** (*a-raiv*; chegar). Podemos encontrar outras formas de escrever esse som em palavras como **height** (*háit*; altura), **fly** (*flai*; voar), **buy** (*bai*; comprar), **lie** (*lai*; mentir) e **eye** (*ai*; olho).

O som da letra **i** curta – como em **it** (*it*; isso), **his** (*hiz*; dele), **this** (*dhiz*; isto), **bill** (*bil*; conta) e **sister** (*sis-tãr*; irmã) – se forma relaxando os lábios, abrindo um pouco a boca e mantendo a língua para baixo. (Se a língua estiver muito para cima, o **i** curto soará como **ee**.)

Às vezes pode parecer estranho se não fizermos uma clara distinção entre o **i** curto (como em **it**) e o **e** longo (como em **eat**). Não diga **I need to live now** (*ai nid tu liv nau*; Preciso viver agora) quando quiser dizer **I need to leave now** (*ai nid to li-iv nau*; Preciso sair agora). E, cuidado! Não vá dizer **Give me the Keys** (*giv mi dhi ki-is*; Dê-me as chaves) quando quiser dizer **Give me a kiss** (*giv mi a kis*; Dê-me um beijo).

Capítulo 1: Falando em Inglês Americano   *15*

A vogal o

A letra **o** soa quase igual em todos os países do mundo, mas no inglês o **o** pode ser um pouco diferente do seu. O som do **o** longo – como em **rode** (*roud*; montou a cavalo), **joke** (*djouk*; piada), **phone** (*foun*; telefone) e **home** (*houm*; lar) – é, de fato, um pouco mais longo. Quando pronunciar o **o** longo, prolongue. Além do padrão ortográfico "**o** + consoante +**e** final" o som do **o** longo tem outras formas de se apresentar como em **no** (*nou*; não), **toe** (*tou*; dedo do pé), **sew** (*sou*; costurar), **know** (k*nou*; saber), **though** (*thou*; embora) e **boat**(*bout*; barco).

O som do **o** curto, que se pronuncia *oh*, geralmente aparece entre duas consoantes, como nas palavras , **not** (*nót*; não), **stop** (*stóp*; parar), **lot** (*lót*; porção) e **dollar** (*dólar*; dólar). É intuitivo: no momento em que você vir a letra **o**, vai querer pronunciar *ou*, mas lembre-se de que, quando está entre consoantes, o **o** quase sempre soa como *oh*.

Quando se unem dois sons de **o** (**oo**), são produzidos mais dois sons vocálicos. As palavras **moon** (*mu-un*; lua), **choose** (*tu-us*; escolher) e **food** (*fu-ud*; comida) são pronunciadas com o som de **u** longo (ver a seção seguinte). Mas as palavras **good** (*gud*; bom); **cook** (*cuk*; cozinheiro), **foot** (*fut*; pé); **could** (*cud*; poderia) e **would** (*u-ud*; gostaria) têm um som diferente. Para produzir esse som, coloque os lábios como se fosse beber algo e mantenha a língua para baixo.

Tente com esta oração: **I would cook something good if I could** (*ai u-uld cuk som-thin gud if ai cu-uld*; Cozinharia alguma coisa boa se pudesse).

Don't put your foot in your mouth! (*dount put iór fut in iór mauth*; Não coloque o pé na boca!) – uma expressão idiomática que é utilizada para expressar que você disse algo que não deveria. É fácil confundir as palavras **food** e **foot**. Tome cuidado para não dizer **This foot tastes good** (*dhis fut teists gud*; Este pé é gostoso) ou **I put my food in my shoe** (*ai put mai fu-ud in mái Chu-u*; Coloquei minha comida em meu sapato).

A vogal u

Em inglês o som do **u** longo é prolongado. As seguintes palavras têm o som de **u** longo: **June** (*dju-un*; junho), **blue** (*blu-u*; azul) e **use** (*iu-uz*; usar). Outras formas de escrever esses sons são **do** (*du-u*; fazer), **you** (*iu-u*; você), **new** (*ni-u*; novo), **suit** (*su-ut*; traje), **through** (*thru-u*; através) e **shoe** (*chu-u*; sapato).

O **u** curto é o som vocálico mais comum em inglês. Esse som é tão comum que, inclusive, tem um nome – **schwa** (*shwa*). Para produzir o som do **schwa** abra ligeiramente a boca, relaxe os lábios e mantenha a língua para baixo. Se fizer o contrário e abrir muito a boca, dirá **ah**. As palavras seguintes têm o som de **u** curto: **up** (*âp*; acima), **bus** (*bâs*; ônibus), **much** (*mâch*; muito), **study** (*stâdi*; estudar), **under** (*ân-der*; debaixo), e **suddenly** (*sâ-den-li*; de repente).

Conduzindo o Ritmo

O ritmo e a musicalidade de um idioma dão vida e personalidade a ele. E, em grande parte, são eles que fazem com que o inglês soe como inglês e que o espanhol soe como espanhol. O ritmo do inglês determina o *padrão de entonação* – a ênfase ou força que se dá para uma palavra em particular. Descobrir como usar o ritmo do inglês e a ênfase (ou força) pode melhorar, e muito, a sua pronúncia e fazer com que ela seja mais

Capítulo 1: Falando em Inglês Americano **17**

natural. Inclusive quando a pronúncia estiver correta, conhecendo o ritmo do inglês, pode-se compreender o que se diz (e o que alguém quer lhe dizer) na maioria dos casos. As seções seguintes apresentarão o rítmo do inglês e os padrões de ênfase que mantém o ritmo.

Marcando o compasso

É fácil conduzir o ritmo do inglês. Marca-se um compasso sem ênfase seguido por um com ênfase, por exemplo: **The cats will eat the mice** (dhe kéts uil it dhe maice; Os gatos comerão os ratos). Ao dizer as orações seguintes, mantenha um ritmo constante batendo o pé no chão em cada palavra sublinhada, de forma que cada batida represente a sílaba forte (com ênfase):

> For **Eng**-lish **rhy**-thm, **tap** your **feet.** (*fór ing-lich ri-dhm tép ior fi-it*; Para o ritmo do inglês, bata o pé.)

> **Fast** or **slow**, just **keep** the **beat.** (*fést ór slou, djãst ki-ip dhe bi-it*; Rápido ou devagar, apenas mantenha o compasso.)

Agora tente conduzir o ritmo nas seguintes orações enquanto bate o pé. (Não se esqueça de enfatizar as sílabas sublinhadas.)

> **Cats** eat **mice.** (*kéts i-it mais*; Os gatos comem ratos.)

> **The** **cats** will **eat** the **mice.** (*dhe kéts uil i-it dhe mais*; Os gatos comerão os ratos.)

Se uma oração tem várias sílabas não enfatizadas juntas, você tem que acelerar (um pouco) para manter o ritmo. Tente dizer a seguinte oração sem alterar o ritmo:

> The **cats** in the **yard** are **going** to **eat** up the **mice.** (*dhe kéts in dhe iard ar go-ing tu i-it ãp dhe maice*; Os gatos do jardim vão comer os ratos.)

18   Guia de Conversação Inglês para Leigos

Enfatizando as palavras importantes

Como saber quais palavras enfatizar em inglês? Enfatize as mais importantes! Isto é, as palavras que proporcionam a informação mais importante da oração.

Enfatize as seguintes palavras:

- ✔ Adjetivos
- ✔ Advérbios
- ✔ Verbos principais
- ✔ A maioria das palavras que indiquem pergunta
- ✔ Negativas
- ✔ Substantivos

Não enfatize estas palavras:

- ✔ Artigos
- ✔ Verbos auxiliares (a menos que estejam no final da oração)
- ✔ Conjunções
- ✔ Preposições
- ✔ Pronomes (geralmente)
- ✔ O verbo **to be** (*tu bi*; ser ou estar)

No capítulo 2, você encontrará mais informações sobre os termos gramaticais mencionados nas listas anteriores.

Pratique com estas orações mantendo um ritmo constante e enfatizando as palavras ou sílabas sublinhadas:

- ✔ **Where** can I **find** a **bank?** (*uér kén ai <u>faind</u> a bénk*; Onde posso encontrar um banco?)
- ✔ I'd **like** to **have** some **tea, please.** (*aid laik tu hév som <u>ti-l pli-iz</u>*; Eu gostaria de um pouco de chá, por favor.)
- ✔ I **need** to **see** a **doctor.** (*ai <u>ni-id</u> tchu <u>si-i</u> a <u>dók-tãr</u>*; Preciso ir ao médico.)

Capítulo 1: Falando em Inglês Americano *19*

Enfatizando a sílaba correta

Não se estresse para decidir qual sílaba enfatizar em uma palavra (ou onde colocar a ênfase). Mesmo que, a princípio, a ênfase das sílabas possa parecer completamente aleatória, alguns padrões comuns podem ajudar a aliviar o estresse da situação. Prometo! As regras e os conselhos seguintes irão ajudá-lo a compreender a forma de enfatizar palavras individuais e a razão pela qual o padrão de ênfase pode variar ou alterar.

Você tem confundido a ênfase móvel das palavras como **mechanize** (*mec-â-naiz*; mecanizado), **mechanic** (*me-câ-nik*; mecânico), e **mechanization** (*me-ca-ni-zei-chon*; mecanização)? O *sufixo* (final) de várias palavras determina o padrão de ênfase. A terminação também pode indicar quando se trata de um substantivo, verbo ou adjetivo – isso é um extra! – A seguir algumas referências rápidas:

- ✔ Os substantivos que terminam em **–ment, -ion,-cion, -tion, -ian, -cian, -sian** e **–ity** são enfatizadas na sílaba anterior ao sufixo, exemplo: **enjoyment** (*em--djói-ment*; diversão), **opinion** (*o-pin-ion*; opinião), **reservation** (*re-ser-vei-chon*; reserva), **possibility** (*po--si-bil-i-ti*; possibilidade).

- ✔ Os adjetivos que terminam em **–tial/ -dial/ -cial, -ual, -ic/ -ical** e **-ious/ -eous/ -cious/ -uous** são enfatizados na sílaba anterior do sufixo, exemplo: **essential** (*i-sen--chal*; essencial), **usual** (*iu-jual*; comum), **athletic** (*é--thlé-tic*; atlético), **curious** (*kiur-i-âs*; curioso).

- ✔ Os verbos que terminam em **–ize, -ate** e **–ary** são enfatizados na segunda sílaba antes do sufixo, exemplo: **realize** (*ri-a-laiz*; dar-se conta), **graduate** (*gréd-iu-eit*; graduado), **vocabulary** (*vo-ké-biu-lé-ri*; vocabulário).

Os exemplos seguintes mostram alguns padrões gerais de ênfase que podem ajudar a diferenciar a pronúncia de uma palavra. Esses exemplos não são regras absolutas. Não se pode confiar neles 100% (nem sequer 98%); mas você pode usá-los como referência quando não estiver seguro se deve enfatizar ou não uma palavra.

20 Guia de Conversação Inglês para Leigos

- ✔ Vários substantivos de duas sílabas têm ênfase na primeira sílaba. Se você não estiver seguro de como enfatizar um substantivo de duas sílabas, faça o teste com a primeira; existe uma grande possibilidade de que ela seja a correta. Esses são alguns exemplos: **English** (*ing-lich*; inglês), **music** (*miú-zic*; música), **paper** (*pei-per*; papel), **table** (*tai-bou*; mesa).
- ✔ Na maioria dos verbos, adjetivos e advérbios, enfatize a raiz, não o prefixo nem o sufixo. Por exemplo: **dislike** (*dis-laic*; desagradar), **lovely** (*lâv-li*; amável), **redo** (*ri-i-du*; voltar a fazer), **unkind** (*ân-kaind*; pouco amável).
- ✔ Enfatize a primeira palavra na maioria dos *substantivos compostos* – substantivos simples formados por dois ou mais substantivos e com um significado diferente das palavras originais. Por exemplo: **ice cream** (*ais-cri-i-im*; sorvete), **notebook** (*nout-buk*; caderno), **sunglass** (*sân-gléss*; óculos escuros), **weekend** (*wi-ik-end*; fim de semana).

Palavras a Saber

Alphabet	(al-fa-bét)	Alfabeto
Letter	(lé-ter)	letra
Consonant	(con-so-nant)	Consoante
Short vowel	(chórt va-el)	Vogal curta
Long vowel	(long va-el)	Vogal longa
Diphthong	(difthon)	Ditongo
Voiced	(vóist)	Sonoro
Voiceless	(vóis-lés)	surdo

Capítulo 2

Gramática num Instante: Somente o Básico

- -

Neste capítulo

- ▶ Como formar uma oração simples
- ▶ Como fazer perguntas
- ▶ Uso de substantivos, pronomes, verbos, adjetivos e advérbios
- ▶ Falando no presente, passado e futuro
- ▶ Compreensão dos artigos

- -

Só a menção da palavra gramática faz você querer sair correndo ou fechar o livro e guardá-lo para outra ocasião? Entendo. Por isso, só apresento os elementos essenciais para que você tenha uma compreensão melhor deste capítulo.

Construção de Orações Simples

Formar uma oração simples em inglês é muito fácil – sempre são utilizados três elementos básicos. São eles:

- ✔ **Subject** (*sâb-djéct*; sujeito)
- ✔ **Verb** (*vârb*; verbo)
- ✔ **Object** (*ob-djéct*; objeto)

22   Guia de Conversação Inglês para Leigos

O sujeito de uma oração pode ser um **noun** (*naun*; substantivo) ou um **pronoun** (*pro-naun*; pronome), o **verb** (*vârb*; verbo) pode estar no presente, passado ou futuro, e o **object** (*odjéct*; objeto) é um termo geral para, digamos, o resto da oração!

Construir uma oração em inglês é como usar uma fórmula matemática. Aqui está a "fórmula" de orações simples para aqueles com alma de matemático: **subject + verb + object**. Um exemplo desta construção seria:

> **I speak English** (*ai spi-ik ing-lich*/ Eu falo inglês).

Construção de Orações Negativas

Com certeza, nem sempre você vai querer falar com orações afirmativas, portanto precisa saber como formar uma oração negativa. A lista seguinte mostra três formas simples para formar orações negativas usando a palavra **not** (*nót*; não):

- Acrescentar **not** em uma oração simples depois do verbo **to be**: **English is not difficult** (*ing-lisch is nót di-fi-câlt*; O inglês não é difícil).
- Acrescentar **do not** ou **does not** antes dos verbos que são diferentes do **to be**: **She does not like hamburgers** (*chi dâs nót laik hém-bur-guer*; Ela não gosta de hambúrgueres).
- Acrescentar **cannot** antes do verbo para expressar inabilidade: **I cannot speak Chinese** (*ai kén-not spi-ik tchai-niz*; Não posso falar chinês).

No versus not

Pode ser que a sua língua materna use a palavra **no** (*nou*; não) enquanto o inglês usa **not** (*nót*), mas no inglês não se utiliza **no** antes do verbo, exemplo: **I no like hamburgers.** (*ai nou laik hém-bur-guers*; Gosto não de hambúrgueres.) Porém, pode-se formar algumas orações negativas usando **no** antes do substantivo. Os exemplos seguintes mostram duas formas de dizer a mesma oração negativa:

Capítulo 2: Gramática num Instante: Somente o Básico   **23**

✔ **I do not have a car.** (*ai du nót hév a car*; Não tenho um carro.)

✔ **I have no car.** (*ai hév nou car*; Não tenho carro.)

Usando contrações como um falante de inglês

Se quiser falar como um falante de inglês – e que as pessoas o entendam bem – use contrações ao falar. As contrações são duas palavras – como **I am** (*ai em*; eu sou) – unidas para formar uma só, mas é preciso tirar letras para diminuí-las, exemplo: **I'm** (*aim*; eu sou).

Estas são algumas das contrações mais comuns com o verbo **to be**:

✔ **You are** (*iu ar*; você é)   **you're** (*iur*; você é)

✔ **He is** (*hi is*; ele é)   **he's** (*his*; ele é)

✔ **She is** (*chi is*; ela é)   **she's** (*chis*; ela é)

✔ **It is** (*it is*; isso é)   **it's** (*its*; isso é)

✔ **We are** (*uí ar*; nós somos)   **we're** (*uír*; nós somos)

✔ **They are (***dhei ar*; eles são)   **they're** (*dheir*; eles são)

Geralmente os negativos são expressados nas formas de contrações, porém, deve-se notar que não há contração para **I am not** (*ai em nót*; eu não sou; estou). No seu lugar as pessoas dizem **I'm not** (*aim nót*; eu não sou; estou) formando a contração com as palavras **I** e **am**:

✔ **Is not** (*is nót*; não é; não está)   **isn't** (*is-ent*; não é; não está)

✔ **Are not** (*ar nót*; não são; não estão)   **aren't** (*arent*; não são; não estão)

✔ **Do not** (*du nót*; não)   **don't** (*dount*; não)

✔ **Does not** (*dãs nót*; *não*)   **doesn't** (*dãs-ent*; não)

✔ **Cannot** (*kén nót*; não posso)   **can't** (*ként*; não posso)

Em inglês americano as pessoas usam a contração negativa **don't have** (*dount hév*; não tenho) no lugar de **haven't** (*hév-ent*; não tenho) quando o verbo principal é **have** (*hév*; ter). É mais comum escutar a frase **I don't have a car** (*ai dount hév a car*; eu não tenho um carro), que a versão britânica **I haven't a car** (*ai hév-ent a car*; eu não tenho um carro).

Perguntas, Perguntas e Mais Perguntas

Quando se fala um idioma pela primeira vez, é sempre um pouco complicado aprender a formular perguntas, porém vou lhe mostrar uma maneira bem fácil.

Perguntas com o verbo "to be"

As perguntas que utilizam o verbo **to be** são bem comuns, por exemplo, **Are you hungry?** (*ar iu hân-gri*; Você está com fome?). (Confira a seção sobre "Verbos: expressando ações, sentimentos e estados de ser" neste capítulo, para ter mais informações sobre como usar o verbo **to be**.) As perguntas com **to be** começam com uma forma do verbo **to be**, seguida pelo sujeito da oração. As orações seguintes mostram este padrão:

- **Is she your sister?** (*is chi iór sis-târ*; Ela é sua irmã?)
- **Are they American?** (*ar dhei a-mér-i-can*; Eles são americanos?

Uma forma fácil de lembrar de como formar esse tipo de pergunta é imaginar uma afirmação como: **You are my friend** (*iu ar mai frend*; Você é meu amigo).Agora inverta o sujeito e o verbo *ser* da seguinte maneira: **Are you my friend?** (*ar iu mai frend*; Você é meu amigo?)

Capítulo 2: Gramática num Instante: Somente o Básico **25**

Perguntas com o auxiliar "do"

Outra pergunta muito frequente é a que começa com o auxiliar de verbo "**do**". Geralmente usa-se a palavra **do** ou **does** para começar uma pergunta quando o verbo principal não é **to be**, como em **Do you speak English**? (Utilize **do** com **I**, **you**, **we** e **they**; use **does** para **he**, **she** e **it**.)

É muito fácil formar uma pergunta com **do**. É só colocar a palavra **do** ou **does** no início da afirmação – e pronto! A pergunta está feita! Bom, quase. Também é preciso combinar o verbo principal com a sua base, como mostram os seguintes exemplos:

He speaks my language. (hi spi-iks mai lénguidj; Ele fala meu idioma.)	**Does he speak my language?** (dãs hi spi-ik mai lén guidj; Ele fala meu idioma?)
You love me! (iu lóv mi; Você me ama!)	**Do you love me?** (du iu lóv mi; Você me ama?)

Para formar uma pergunta no passado use **did** (*did*) – o passado de **do** – e o verbo principal em sua forma base, exemplo: **Did she read this book**? (*did chi rid dhis buk*; Ela leu este livro?). Podemos ver como uma oração no passado se converte em uma pergunta no seguinte exemplo:

You liked the movie. (iu laikd dhe mu-vi; Você gostou do filme.)	**Did you like the movie?** (did iu laik dhe mu-vi; Você gostou do filme?)

Perguntas com what, when, where e why

Várias perguntas em inglês precisam usar uma "palavra interrogativa" como "o que", "onde", "quando" etc. As pergun-

26 Guia de Conversação Inglês para Leigos

tas que começam com essas palavras, que algumas vezes se chamam **information questions** (*in-for-mei-chion kwés-tchion*; questões informativas), porque a resposta proporciona uma resposta específica. A seguir, uma lista das palavras interrogativas mais comuns:

- **What** (*uát*/o que)
- **When** (*uen*/quando)
- **Where** (*uér*/onde)
- **Who** (*hu*/quem)
- **Why** (*uai*/por que)
- **How** (*hau*/como)
- **How much** (*hau mâch*/quanto)
- **How many** (*hau meni*/quantos)

Pode-se formar muitas perguntas informativas apenas acrescentando uma palavra interrogativa nas perguntas com **to be** ou **do**. Os exemplos a seguir mostram o que quero dizer:

Is she crying?	**Why is she crying?**
(*is chi crai-ing;* Ela está chorando?)	(*uai is chi crai-ing;* Por que ela está chorando?)
Do you love me?	**How much do you love me?**
(*du iu lóv mi;* Você me ama?)	(*hau mâch du iu lóv mi;* O quanto você me ama?)

Veja estas perguntas informativas e preste atenção no tipo de informação que pede cada pergunta:

What is your name?	**My name is Sara.**
(*uát is iór neim;* Qual é o seu nome?)	(*mai neim is Sa-ra;* Meu nome é Sara.)
Where do you live?	**I live on Mission Street.**
(*uér du iú liv;* Onde você mora?)	(*ail iv on mi-shan stri-it;* Moro na Mission Street.)

Capítulo 2: Gramática num Instante: Somente o Básico 27

When is the concert?	**It's tonight at 8:00 p.m.**
(*uen is dhe con-sert;* Quando é o concerto?	(*its to-nait ét eit pi em;* É hoje às 20 horas.)
How much does it cost?	**It costs 20 dollars.**
(*hau mâch dâs it cost;* Quanto custa isto?)	(*it costs twen-ti dó-lars;* Custa 20 dólares.)
Why are you going?	**Because I like the band.**
(*uai ar iu going;* Por que você está indo?)	(*bi-cós ai laik dhâ bend;* Porque eu gosto da banda.)
Who is going with you?	**You are!**
(*hu is go-ing uidh iu;* Quem vai com você?	(*iu ar;* Você!)

Você pode fazer muitas outras perguntas adicionando simplesmente uma palavra específica depois da palavra interrogativa **what**. Veja estes exemplos de perguntas (e respostas, apenas por diversão):

What day is it?	**Saturday.**
(*uát dei is it;* Que dia é?)	(*sa-tur-dei;* Sábado.)
What school do you attend?	**Mills College.**
Uát scul du iu a-tend; Qual escola você vai?)	(*milz cólidj;* Mills College.)

Substantivos: Pessoas, Lugares e Objetos

Em inglês, como em seu próprio idioma, os substantivos podem ser nomes de pessoas (como Einstein e Tia Susy), lugares (como o Grand Cânon e Espanha) ou objetos (como livros ou circunstâncias gerais). Os substantivos podem ser singulares ou plurais.

28 Guia de Conversação Inglês para Leigos

Em inglês, os substantivos não são **masculine** (*mas-kiu-lin*; masculinos) ou **feminine** (*fé-mi-nim*; femininos). Essa é uma das coisas mais fáceis do inglês em comparação com os outros idiomas.

Em inglês, os substantivos podem estar no **singular** (*sin-guiu-lar*; singular) ou **plural** (*plu-ral*; plural). As terminações plurais "cotidianas" para a maioria dos substantivos são **–s** ou **–es**, mas alguns substantivos têm terminações "caprichosas". Estas são algumas regras úteis para facilitar a formação do plural:

- ✔ Acrescente **–s** nos substantivos que terminam em vogais ou consoantes, como: **days** (*deis*; dias) ou **words** (*uords*; palavras).
- ✔ Para os substantivos que terminam em consoantes + **y**, tire o **–y** e acrescente **–ies**, como em **parties** (*partis*; festas) ou **stories** (*sto-ris*; histórias).
- ✔ Acrescente **–es** nos substantivos que terminam em **–s, -ss, -ch, -sh, -x** e **–z**, como em **buses** (*bâs-es*; ônibus), **kisses** (*kis-es*; beijos) ou **lunches** (*lãn-tch-es*; almoços).
- ✔ Para substantivos que terminam em **–f** ou **–fe** troque a terminação para **–ves**: **half** (*héf*; metade) → **halves** (*hevs*; metades) ou **life** (*laif*; vida) → **lives** (*laivs*; vidas).
- ✔ Alguns substantivos não mudam no plural como **fish** (*fish*; peixe, peixes) ou **sheep** (*shi-ip*; ovelha ou ovelhas).
- ✔ Alguns substantivos são completamente diferentes no plural. Por exemplo: **foot** (*fu-ut*; pé) → **feet** (*fi-it*; pés), **man** (*men*; homem) → **men** (*men*; homens), **person** (*per-san*; pessoa) →**people** (*pi-pou*; pessoas) ou **woman** (*uo-man*; mulher) → **women** (*uí-men*; mulheres).

You e I: Pronomes Sujeito

Os **pronouns** (*pro-nauns*; pronomes) podem substituir os substantivos. A forma do uso deles no inglês provavelmente é similar com a que é usada no seu idioma materno.

Capítulo 2: Gramática num Instante: Somente o Básico

Os **subject pronouns** (sâb-dject pro-nauns; pronomes sujeito) são pronomes que substituem o sujeito da oração. Estes são os pronomes sujeito:

- **I** (*ai*; eu)
- **You** (*iu*; você, vocês)
- **He** (*hi*; ele)
- **She** (*chi*; ela)
- **It** (*it*; não tem tradução quando é sujeito gramatical de verbos e frases pessoais)
- **We** (*ui*; nós)
- **They** (*dhei*; eles)

Lembre-se de que o inglês tem uma única forma de **you**; não é necessário fazer uma distinção entre o **you** formal e o **you** informal, como em muitos idiomas. É perfeitamente admissível usar **you** em situações formais e informais.

Observe como nos seguintes pares de orações, o sujeito da primeira oração é substituído por um pronome na segunda oração.

Tommy went to México.	**He went to México.**
(*to-mi uent tchu mé-xi-cou;* Tommy foi ao México.)	(*hi uent tchu mé-xi-cou;* Ele foi ao México.)
Paola lives there.	**She lives there.**
(*pao-la livs dhér;* Paola mora ali.)	(*chi livs dhér;* Ela mora ali.)
Mexico is a great country.	**It is a great country.**
(*mé-xi-cou iz a greit cân-tri;* México é um bom país.)	(*it iz a greit cân-tri;* É um bom país.)
Tommy and Paola are friends.	**They are friends.**
(*to-mi end pao-la ar fréns;* Tommy e Paola são amigos.)	(*dhei ar fréns;* Eles são amigos.)

30 Guia de Conversação Inglês para Leigos

You e **I** juntos equivalem a **we**. Cada vez que o sujeito incluir **you** e outras pessoas, use o pronome **we** – não **they**. Exemplo:

Joan and I are sisters.	**We are sisters.**
(*djo-an end ai ar sis-ters*; Joan e eu somos irmãs.)	(*ui ar sis-ters*; Nós somos irmãs.)
My wife, kids, and I took a vacation.	**We took a vacation.**
(*mai uaif, kids end ai tu-uk a vei-quei-chon*; Minha esposa, meus filhos e eu saímos de férias.)	(*ui tu-uk a vei-quei-chon*; Nós saímos de férias.)

Em muito pouco tempo você estará usando os pronomes como um falante de inglês. Apenas lembre-se do seguinte:

- Não omita o pronome sujeito. Diferente de outros idiomas, no inglês, o verbo por si só não indica o número ou o gênero do sujeito, por isso deve ser incluído.

- Exceção: Pode-se omitir o pronome sujeito se estiver implícito que o sujeito é você, como nos seguintes exemplos:

  Come here (*com hir*; Venha cá), **Sit down** (*sit daun*; Sente-se) e **Help!** (*help*; Ajuda!).

- Use o pronome *it* para animais. Mas se você conhece o sexo do animal, pode usar **he** ou **she**. Por exemplo, se você sabe que Molly é um gato fêmea, pode dizer **She's very affectionate** (*chis vé-ri a-féc-chio-neit*; Ela é muito carinhosa).

- Use o pronome **they** para o plural de animais e objetos. Por exemplo, se você comprar dois livros pode dizer **They are interesting** (*dhei ar in-tr-est-ing*; Eles são interessantes).

Capítulo 2: Gramática num Instante: Somente o Básico   *31*

Ser Possessivo: Pronomes e Adjetivos Possessivos

O uso de possessivos permite identificar o que pertence a quem. Os **possessive adjectives** (*po-ses-iv a-djéc-tivs*; adjetivos possessivos) vão antes dos substantivos e indicam posse – ou seja, ajudam a descrever a que ou a quem pertence o sujeito. Estes são os adjetivos possessivos:

- **My** (*mai*; meu, minha)
- **Your** (*iór*; seu)
- **Her** (*hâr*; dela)
- **His** (*his*; dele)
- **Its** (*its*; dele)
- **Our** (*aur*; nosso, nossa)
- **Their** (*dhér*; deles, delas)

Em inglês, os adjetivos possessivos (como todos os adjetivos) não mudam, não importar se o substantivo é singular ou plural. Estas orações ilustram essa ideia:

- **These are her bags**. (*dhi-iz ar hâr begs*; Estas são as bolsas dela.)
- **This is her suitcase.** (*dhiz is hâr su-ut-keis*; Esta é a maleta dela.)

Lembre-se de que o adjetivo possessivo é usado para fazer referência ao dono, não ao objeto ou a pessoa da posse. Ou seja, se o dono é mulher, use a palavra *her* para mostrar a posse, mesmo que o objeto de posse seja masculino. Observe os seguintes exemplos:

- **Nettie travels with her husband**. (*né-ti tré-vels uidh hêr hâzband*; Nettie viaja com seu marido.)
- **His wife made a reservation**. (*his uaif meid a re-ser-vei--chion*; Sua esposa (a esposa dele) fez uma reserva.)

32 Guia de Conversação Inglês para Leigos

Os **possessive pronouns** (*po-ses-iv pro-noun* – pronomes possessivos) mostram a quem pertence o sujeito que é mencionado. Eles podem aparecer no início ou no final de uma oração e podem ser o sujeito ou o objeto. Estes são os pronomes possessivos:

- ✔ **Mine** (*máin*; (o) meu, (a) minha)
- ✔ **Yours** (*iórs*; (o) teu, (a) tua, (o) seu, (a) sua)
- ✔ **Hers** (*hârs*; (o) seu, (a) sua)
- ✔ **His** (*his*; (o) seu, (a) sua)
- ✔ **Its** (*its*; (o) seu, (a) sua)
- ✔ **Ours** (*aurs*; (o) nosso, (a) nossa)
- ✔ **Theirs** (*deirs*; (o) seu, (a) sua)

Assim como os adjetivos possessivos, os pronomes possessivos não têm plurais. O **–s** nas palavras **yours, hers, its, ours** e **theirs** indica posse. Estes são alguns exemplos:

- ✔ **This lugagge is yours.** (*dhis lâ-guidj is iórs*; Esta mala é sua.)
- ✔ **Mine is still in the car.** (*máin is stil in dhe car*; A minha ainda está no carro.)

Verbos: Expressando Ações, Sentimentos e Estados de Ser

Um **verb** (*vârb*; verbo) acrescenta ação e sentimento a uma oração ou indica um estado. Comumente esse verbo se chama **main verb** (*máin vârb*; verbo principal) – ou o verbo que faz o "trabalho" principal na oração. Observe os verbos principais (em itálico) nas seguintes orações:

Capítulo 2: Gramática num Instante: Somente o Básico *33*

- ✔ We *ate* a pizza. (*uí eit a pit-sa*; Nós comemos uma pizza.)
- ✔ I *like* cheese pizza. (*ai laik tshiz pit-sa*; Eu gosto de pizza de queijo.)
- ✔ Pizza *is* yummy! (*pit-sa iz iâmi*; Pizza é gostoso!)

Os verbos também podem ser "ajudantes" do verbo principal. Este verbo se chama **auxiliary verb** (*óg-zili-éuri vârb*; verbo auxiliar) – ou simplesmente **helping verb** (*hél-pin vârb*; verbos ajudantes). Nas orações a seguir, os verbos (em itálico) são os verbos auxiliares que se apoiam nos verbos principais:

- ✔ You *are* reading this book. (*iu ar ri-i-din dhis buk*; Você está lendo este livro.)
- ✔ It *can* give you some grammar tips. (*it kén giv iu sam grã-mar tips*; Ele pode lhe dar algumas dicas de gramática.)

Os verbos podem ser regulares ou irregulares ao serem conjugados:

- ✔ **Regular verbs** (*re-guiu-lar vârbs*; verbos regulares): são os verbos que seguem um padrão de conjugação regular e previsível.
- ✔ **Irregular verbs** (*i-re-guiu-lar vârbs*; verbos irregulares): são os verbos que não seguem um padrão razoável.

Verbos regulares

Quase todos os verbos em inglês são regulares no presente. Além disso, são conjugados da mesma forma, com exceção da terceira pessoa do singular (**he, she,** e **it**).

Por exemplo, aqui estão as conjugações (muito úteis) dos verbos regulares **to love** (*tchu lâv*/amar) e **to kiss** (*tchu kis*/beijar):

34 Guia de Conversação Inglês para Leigos

Conjugação	Pronúncia
To Love:	
I love	(*ai lâv*)
You love	(*iu lâv*)
He/she loves	(*hi/chi lâvs*)
It loves	(*it lâvs*)
We love	(*uí lâv*)
They love	(*dhei lâv*)
To Kiss	
I kiss	(*ai kis*)
You kiss	(*iu kis*)
He/she kisses	(*hi/chi kis-es*)
It kisses	(*it kis-es*)
We kiss	(*uí kis*)
They kiss	(*dhei kis*)

O único caso peculiar da conjugação dos verbos regulares é a terminação de **–s** ou **–es** na terceira pessoa do singular. **He, she** e **it** são pessoas do singular mas as terminações dos verbos são idênticas à terminação do plural. Fique muito atento! Por outro lado, não confunda e acrescente **–s** ou **–es** aos verbos que são usados com substantivos plurais ou com os pronomes **we** e **they**.

Verbos irregulares

Hoje é seu dia de sorte, porque, por enquanto, só tem que lembrar dos verbos irregulares para o presente: **to have** (*tchú hév*; ter) e **to be** (*tchú bi*; ser; estar). Estas são as conjugações para esses dois verbos excêntricos.

Capítulo 2: Gramática num Instante: Somente o Básico 35

Conjugação	Pronúncia
To Have	
I have	*(ai hév)*
You have	*(iu hév)*
He/she has	*(hi/chi hés)*
It has	*(it hés)*
We have	*(uí hév)*
They have	*(dhei hév)*
To Be:	
I am	*(ai em)*
You are	*(iu ar)*
He/she is	*(hi/chi is)*
It is	*(it is)*
We are	*(uí ar)*
They are	*(dhei ar)*

Ser ou não ser: o uso do verbo "to be"

O verbo **to be** é um verbo muito ativo que tem muitas funções no inglês. Esta é uma dentre quatro descrições (não está em ordem de importância).

Use **to be** antes dos substantivos e adjetivos para mostrar identidade ou estado:

- ✔ **Molly and Dixie are cats.** (*mó-li end dikssi ar kéts*; Molly e Dixie são gatos.)
- ✔ **It is a beautiful day.** (*it iz a biu-ti-ful dei*; É um lindo dia.)
- ✔ **I am lost!** (ai *em lost*; Estou perdido!)

36 Guia de Conversação Inglês para Leigos

Use **to be** como verbo auxiliar (ou ajudante) com o presente ou passado contínuo. Observe os seguintes exemplos, o primeiro no presente contínuo e o segundo no passado contínuo:

- **The world is turning**. (*dhe uârld is târ-nin*; O mundo está girando.)
- **I was writing this book last year.** (*ai uós rait-in dhiz buk lést iar*; Eu estava escrevendo este livro ano passado.)

Use **to be** como verbo auxiliar quando, no futuro, aparecer a palavra **going to** (*go-ing tchu*/ir a):

- **You are going to speak English very well**. (*iu ar go-ing tchu spi-ik in-glish véri uél*; Você vai falar inglês muito bem.)
- **The cats are going to sleep all day.** (*dhe kéts ar go-ing tchu slip ól dei*; Os gatos vão dormir o dia inteiro.)

Falo mais sobre o presente/passado contínuo e futuro na seção seguinte.

Use **to be** para indicar um lugar:

- **My home is in California.** (*mai houm iz in ca-li-fór-nia*; Minha casa é na Califórnia.)
- **The bus stop is over there.** (*dhe bâs stop iz o-ver dhér*; O ponto de ônibus é para lá.)

Não se Prenda nos Tempos

Assim como a maioria dos idiomas, o inglês tem uma infinidade de tempos para cada situação, mas a boa notícia é que conhecer alguns dos tempos básicos é o suficiente para se compreender o restante. Para começar observe os exemplos com o verbo regular **to walk** (*tchú uólk*/caminhar):

Capítulo 2: Gramática num Instante: Somente o Básico **37**

- Presente: **I walk to school every day.** (*ai uólk tchu scul év-ri dei*; Eu caminho para a escola todos os dias.)
- Passado: **I walked to school yesterday.** (*ai uólkt tchu scul iés-ter-dei*; Ontem eu caminhei para a escola.)
- Futuro: **I will walk to school again tomorrow.** (*ai uil uólk to scul e-guein tu-mó-rou*; Amanhã eu caminharei para a escola de novo.)

Presente simples

Vou dar dois pelo preço de um – duas formas de presente para conversações diárias. A primeira é **simple present** (*sin-pol pré-sent;* presente simples). Use esse tempo para falar de atividades diárias ou de atividades ou eventos cotidianos. Por exemplo. **I jog every day** (*ai djóg év-ri dei*; Corro todos os dias). O verbo **to be** também é usado para expressar um estado ou um acontecimento, como **The Sun is hot** (*dhe san is hót*; O sol está quente).

A lista seguinte mostra mais exemplos do presente simples (em itálico):

- **It *rains* every day**. (*it reins év-ri dei*; Chove todos os dias.)
- **Dixie *likes* milk.** (diks-i laiks milk; Dixie gosta de leite.)
- **She *is* three years old.** (*chi iz thri iars old*; Ela tem três anos.)

Presente Contínuo

O segundo presente que eu quero mostrar é o **present continuous tense** (*pré-sent con-tin-iu-as tense*/presente contínuo). Use esse tempo para falar de coisas que estão acontecendo no momento – neste momento ou neste período da sua vida. Por exemplo:

- *It is raining right now*. (*it is rein-in rait nau*; Está chovendo neste momento.)
- *Dixie is drinking milk*. (*diks-i is drink-in milk*; Dixie está bebendo leite.)
- I *am learning* English. (*ai em lãrn-ing ing-lich*; Estou aprendendo inglês.)

Para os de espírito matemático, mostro uma fórmula para formar o presente contínuo: **to be** + verbo principal + **-ing**.

E lembre-se de usar a conjugação correta do verbo **to be**. Por exemplo:

- I *am reading* **this book.** (*ai em rid-ing dhis buk*; Eu estou lendo este livro.)
- **She** *is reading* **this book.** (*chi is rid-ing dhis buk*; Ela está lendo este livro.)

Quando alguém fizer uma pergunta no presente contínuo, você deve responder com o mesmo tempo. Aqui estão alguns exemplos de perguntas e respostas:

What are you doing?	**I am cleaning the house.**
(Uát ar iu du-ing;	*(ai em clin-in dhe haus;*
O que você está fazendo?)	Estou limpando a casa.)
Where are you going?	**I am going to the store.**
(uér ar iu go-ing;	*(ai em go-ing tu dhe stór;*
Onde você vai?)	Vou à loja.)

Certifique-se de que o sujeito da oração possa realizar a ação indicada. Por exemplo: se você quer dizer **I'm reading a book** (*aim rid-in a buk*; Estou lendo um livro), tome cuidado para não dizer **The book is reading** (*dhe buk is rid-in*; O livro está lendo)! Em inglês (ou qualquer outro idioma), essa ideia não tem sentido – um livro não pode ler.

Capítulo 2: Gramática num Instante: Somente o Básico 39

Passado simples

Use o **simple past tense** (*sim-pol pést tens*; passado simples) para falar de uma ação ou evento que começou e terminou no passado. Com o passado simples é comum usar palavras que indicam passado, **yesterday** (*iés-ter-dei,* ontem), **last week** (*lést wi-ik*; semana passada), **in 1999** (*in nain-tin nain-ti nain*; em 1999) **ten minutes ago** (*ten min-ets a-gou*; dez minutos atrás), entre outras.

O passado simples se forma de duas maneiras:

- Adicionando **–ed** ao final dos verbos regulares no passado.
- Usando a forma irregular no passado dos verbos.

Apenas adicione **-ed** ao final da maioria dos verbos regulares, e você terá o passado! (Imagine isto: Seu amigo Ed é um homem regular.) Esses são exemplos do passado regular:

- **I *called* my mother last night.** (*ai cóld mai ma-dher lést nait*; Eu liguei para minha mãe a noite passada.)
- **She *answered* the phone.** (*chi an-serd dhe fon*; Ela atendeu o telefone.)
- **We *talked* for a long time.** (*ui talkd fór a long taim*; Nós falamos por muito tempo.)

Se o verbo termina em **e**, simplesmente acrescente **–d**. Para os verbos que terminam em consoante mais **y**, como **study** (*stâ-di*; estudar) e **try** (*trai*; tentar) forme o passado trocando o **y** por **i** e adicionando **–ed**, como **studied** (*stâ-did-ed*; estudou) e **tried** (*trai-d*; tentou).

Cerca de cem verbos comuns têm formas irregulares no passado. O bom é que, com exceção do verbo **to be**, todos têm uma só forma. Por exemplo, o passado simples de **have** é **had** (*héd/* tinha).

40 Guia de Conversação Inglês para Leigos

Nos exemplos seguintes, os verbos irregulares estão em itálico:

- ✔ I *wrote* a love letter to my sweetheart. (*ai rout a lâv lé-ter tchu mai suit-hart*; Eu escrevi uma carta para minha amada.)
- ✔ She *read* it and said "I love you". (*chi réd it end séd ai lâviu*; Ela leu e disse "Te amo".)
- ✔ I *felt* very happy! (*ai felt vé-ri hépi*; Eu me senti muito feliz.)

O verbo **to be** tem duas conjugações no passado simples:

- ✔ I was (*ai uás*; eu fui/ era)
- ✔ You were (*iu uâr*; você foi/era)
- ✔ He/she/ it was (*hi/ chi/ it uás*; ele/ ela foi/ era)
- ✔ We were (*ui uâr*; nós fomos/ estávamos)
- ✔ They were (*dhei uâr*; eles foram/eram)

Passado contínuo

Se você consegue formar o presente contínuo, pode facilmente formar o **past continuous tense** (*pést con-tin-iuas tens*/ passado contínuo). Esse tempo é usado para falar de algo que estava acontecendo por um período de tempo no passado. Por exemplo:

- ✔ It *was raining* last night. (*is uás rein-in lést nait;*/ Estava chovendo a noite passada.)
- ✔ We *were walking* in the rain. (*ui uâr uók-ing in dhe rein*; Nós estamos andando na chuva.)

Essa é a razão pela qual é muito fácil formar o passado contínuo. Se você sabe formar o presente contínuo com o verbo **to be** + o verbo principal + **ing**, só tem que trocar pelo verbo **to be** no passado, e – pronto! – você acaba de criar o passado contínuo. Os seguintes exemplos ilustram o que acabo de expor:

Capítulo 2: Gramática num Instante: Somente o Básico 41

- **I am living in the U. S.** (*ai em liv-in in dhe iu es*; Estou morando nos Estados Unidos.)
- **I was living in México last year**. (*ai uás liv-ing in mé-xi-cou lést iar*; Eu estava morando no México ano passado.)

Futuro: will e going to

Existem duas formas igualmente válidas para falar do futuro, porém, as pessoas tendem a usar uma ou outra para situações diferentes.

Quando você quiser formar o futuro pode usar a palavra **will** (*uil*) ou o verbo **to be** mais **going to** (*go-ing tchu*). A seguir estão duas fórmulas e exemplos que ilustram como usar cada forma:

- **Will** + verbo principal (em sua forma *base*): **I will tell you a story** (*ai uil tél iu a stó-ri*/ Eu vou te contar uma história) ou **We will help you in a minute** (*ui uil hélp iu in a min-ut*/ Nós o ajudaremos em um minuto.)
- Verbo **to be** + **going to** + verbo principal (em sua forma base): **I am going to tell you a history** (*ai em go-ing tchu él iu a stó-ri*/ Eu irei contar uma história pra você) ou **She is going to graduate next week** (*chi is gou-ing tchu grad-iu-eit nékst ui-ik*/ Ela vai graduar na próxima semana.)

Os falantes de inglês quase sempre usam contrações no futuro, e você também pode fazê-lo. Use as contrações **I'll, you'll** etc. para a palavra **will**. Com **going to** use as contrações do **to be**, como **I'm going to, you're going to, she's going to** etc.

Adjetivos: Dá Sabor ao Idioma

Os adjectives (*a-djéctivs*; adjetivos) ajudam a descrever ou dar mais informações sobre substantivos e pronomes e até sobre outros adjetivos. Eles adicionam cor, textura, qualidade, quantidade, caráter e sabor a uma oração simples, "sem sabor".

Esta é uma oração sem nenhum adjetivo:

> ***English For Dummies* is a book.** (*ing-lich fór dam-mis is a buk*/ *Inglês Para Leigos* é um livro.)

Usando a mesma oração, veja como ela adquire sabor utilizando adjetivos (em itálico):

> **English For Dummies is a *fun, helpful, basic English language* book.** (*ing-lich fór dam-mis is a fan help-ful beisic ing-lish lan-gua-dj buk*/ Inglês Para Leigos é um livro *divertido útil de inglês básico*.)

Essa é uma oração que transmite algo!

Em inglês os adjetivos nunca têm gênero ou formas no plural, isto é, os adjetivos nunca mudam de acordo com gênero ou número do substantivo que ele descreve. Por exemplo, nas orações seguintes, os adjetivos (em itálico) são fixos, não se alteram por causa dos substantivos.

- **They are very *active* and *noisy* boys**. (*dhei ar vé-ri ac-tiv end nói-si bóis*; Eles são meninos muito agitados e barulhentos.)
- **She is very *active* and *noisy* girl**. (*chi is vé-ri ac-tiv end nói-si gârl*; Ela é uma menina muito agitada e barulhenta.)

Dando cor e quantidade

As **colors** (*có-lors*; cores) são adjetivos, assim como os **numbers** (*nâm-bers*; números). Esses são alguns exemplos (observe que a quantidade vai primeiro, seguida pela cor e o substantivo):

- **I'd like one red Apple**. (*aid laik uan réd é-pou*/ Eu gostaria de uma maçã vermelha.)
- **You have two yellow bananas.** (*iu hév tchu iélou ba-na-nas*/ Você tem duas bananas amarelas.)

Capítulo 2: Gramática num Instante: Somente o Básico   43

Expressando sentimentos

Os adjetivos podem expressar **feelings** (*fi-lins*/ sentimen-tos), **emotions** (*i-mou-chans*/ emoções) e o estado de saúde em geral. Os verbos **to be** e **to feel** (tchu fi-il, sentir) são usados com os seguintes tipos de adjetivos:

- **She is happy**. (*chi is hé-pi*/ Ela está feliz.)
- **I feel nervous**. (*ai fi-il ner-vâs*/ Me sinto nervoso.)
- **They are in love.** (*dhei ar in lâv*/ Eles estão apaixonados.)

Descrevendo caráter e habilidade

Os adjetivos são usados para descrever o caráter, as quali-dades e as habilidades das pessoas. Use o verbo **to be** com este tipo de adjetivo:

- **He's kind**. (*his kaind*; Ele é gentil.)
- **They're athletic**. (*dheir é-thétic*; Eles são atléticos.)
- **You're funny**! (*iu ar fan-ni*; Você é engraçado!)
- **We're competitive.** (*uir com-pe-te-tiv;*/ Nós somos compe-titivos.)

Para dar ênfase à sua descrição, use o advérbio **very** (*vé-ri*/ muito) antes do adjetivo. Por exemplo:

- **It's a very hot day**. (*its a vé-ri hót dei*/ É um dia mui-to quente.)
- **She's very artistic**. (*chis vê-ri ar-tis-tic*/ Ela é muito artística.)

Se você quer saber mais sobre os adjetivos descritivos, consulte o capítulo 4.

Advérbios: Dando Caráter aos Verbos

Os **adverbs** (*ad-vârbs*; advérbios) ajudam a descrever um verbo ou um adjetivo. Os advérbios expressam como ou de que maneira se faz algo.

44 Guia de Conversação Inglês para Leigos

Esta é uma oração sem advérbios:

I play the piano. (*ai plei dhe pi-a-no*; Eu toco piano.)

Acrescentando um advérbio, a oração tem outro sentido:

I play the piano *badly*. (*ai plei dhe pi-a-no béd-li*; Eu toco piano muito mal.)

Os advérbios também dizem a frequência com que se faz algo, como **I** *rarely* **pratice the piano** (*ai rér-li prac-tis dhe pi-a-no*; Pratico piano muito pouco). E os advérbios também dizem algo a mais do adjetivo, como em **My piano teacher is** *extremely* **patient** (*mai pi-a-no ti-chr is ex-trim-li pei-chant*/ Minha professora de piano é extremamente paciente).

A maioria dos advérbios se forma acrescentando **–ly** a um adjetivo. Por exemplo, o adjetivo **quiet** (*kuai-et*; tranquilo) se converte em advérbio **quietly** (*kuai-et-li*; tranquilamente). Estes são alguns exemplos:

- ✔ Adjetivo: **Please be quiet**. (*pliz bi kuai-et*; Por favor, fique quieto.)
- ✔ Advérbio: **Please talk quietly**. (*pliz tólk kuai-et-li*; Por favor, fale em voz baixa.)

Alguns advérbios e adjetivos são iguais, o que significa que as palavras não são trocadas. Por exemplo, observe a palavra **fast** (*fést*/ rápido) nestas duas orações:

- ✔ Adjetivo: **He has a fast car.** (*hi hés a fest car*; Ele tem um carro rápido.)
- ✔ Advérbio: **He drives too fast**. (*He draivs tchu-u fést*; ele dirige muito rápido.)

Capítulo 2: Gramática num Instante: Somente o Básico **45**

Os Três Artigos: A, an e the

Nesta seção mostro como usar os artigos **a, an**, e **the**. *Nota*: Em inglês, os artigos (assim como os substantivos) não têm gênero, são os mesmos para o masculino e o feminino, como em **The boy is tall** (*dhe boi is tól*; O menino é alto) e **The girl is tall** (*dhe gârl is tól*; a menina é alta). Estas são algumas das regras para que não se perca:

- **A/an** versus **the** (muito fácil): **A** e **an** são usados apenas antes de substantivos singulares contáveis. **The** pode ser usado antes de substantivos singulares e plurais: **Molly is a cat** (*mó-li is a két*; Molly é uma gata), **She is an animal** (*chi is én é-ni-mal; Ela é um animal*), ou **The birds fear her** (*dhe bâr-ds fi-âr hâr*; Os pássaros têm medo dela).

- **A** versus **an** (também é muito fácil): **A** é usado antes de substantivos, ou adjetivos, que começam com consoante. **An** é usado antes de substantivos que começam com h mudo ou vogal: **We saw a movie** (*ui só a mu-vi*; Nós vimos um filme), **The book is an autobiography** (*dhe buk is én a-uto-bai ó-grafi*; O livro é autobiográfico) ou **He is an honest man** (*hi is én ó-nest man;* Ele é um homem honesto).

- **The** versus nenhum artigo (não muito difícil): **The** é usado antes dos substantivos que podem ser contáveis ou não quando se fala de algo específico. Em geral, não se usa nenhum artigo antes de substantivos incontáveis.

46 Guia de Conversação Inglês para Leigos

The coffee in Mexico is delicious! (*dhe co-fi-i in me-xi-cou is di-li-chas*; O café no México é delicioso!) ou **Coffee is popular in the U.S.** (*có-fi-i is po-piu-lar in dhe iu és*; O café é popular nos Estados Unidos).

✎ **A/an** versus **the** (um pouco mais difícil): **A** e **an** são usados antes de substantivos que são mencionados pela primeira vez. **The** é usado antes de substantivos que já foram mencionados anteriormente: **I read a good book** (*ai réd a gud buk*; Eu li um livro bom) **The book was about an artist** (*dhe buk uás a-baut an artist*; O livro era sobre um artista), ou **The artist lives on a ranch** (dhe ar-tist livs on a ren-tch; O artista vive em um rancho).

✎ **The** (bastante difícil): **The** é usado antes de nomes de cadeias de montanhas, rios, oceanos e mares: **The Pacific Ocean is huge** (*dhe pa-ci-fic ou-chian is híu-dj*; O oceano Pacífico é enorme) ou **The Amazon is in South America** (*dhe a-ma-zon is in sauth a-mé-ri-ca*; O Amazonas é na América do Sul).

✎ **The** (bem fácil também): **The** é usado antes de nomes de países cujo nome inclui uma referência à forma de governo ou união: **the United States** (*dhe iu-nait-ed steits* (os Estados Unidos) ou **the People's Republic of China** (*dhe pi-pols ri-pâb-lic óf tchai-na*; a República Popular da China).

Capítulo 3

Sopa de Números:
ContandoTudo

Neste capítulo

▶ Em ordem com cardinais e ordinais
▶ Horas
▶ Dias e meses
▶ Gastando dinheiro

*T*enho boas notícias para você! Os números (um, dois, três etc.) são os mesmos em inglês e em português, sendo assim, em uma loja americana, você vai poder saber o preço das coisas – mesmo sem lembrar de uma palavra de inglês. Este capítulo também fala de como dizer a hora e ver as datas.

1, 2, 3: Números Cardinais

Conhecer os números cardinais de 0 a 100 permite que você expresse, por exemplo, quanto dinheiro tem em sua carteira, quantos pontos tem na parede e como dizer as horas. Observe os números cardinais:

Guia de Conversação Inglês para Leigos

- **Zero** (zi-rou; zero)
- **One** (uân; um)
- **Two** (tchu-u; dois)
- **Three** (thri; três)
- **Four** (fór; quatro)
- **Five** (fáiv; cinco)
- **Six** (siks; seis)
- **Seven** (sé-ven; sete)
- **Eight** (eit; oito)
- **Nine** (nain; nove)
- **Ten** (ten; dez)
- **Eleven** (i-lé-ven; onze)
- **Twelve** (tuélv; doze)
- **Thirteen** (thâr-ti-in; treze)
- **Fourteen** (for-ti-in; catorze)
- **Fifteen** (fif-ti-in; quinze)
- **Sixteen** (siks-ti-in; dezesseis)
- **Seventeen** (séven-ti-in; dezessete)
- **Eighteen** (eit-i-in; dezoito)
- **Nineteen** (nain-ti-in; dezenove)
- **Twenty** (tuen-ti; vinte)
- **Twenty-one** (tuen-ti uân; vinte e um)
- **Twenty-two** (tuen-ti tchu-u; vinte e dois)
- **Thirty** (thârti; trinta)
- **Thirty-one** (thârti uân; trinta e um)
- **Forty** (fór-ti; quarenta)
- **Fifty** (fif-ti; cinquenta)
- **Sixty** (siks-ti; sessenta)

Capítulo 3: Sopa de Números: Contando Tudo 49

- **Seventy** (sé-ven-ti; setenta)
- **Eighty** (ei-ti; oitenta)
- **Ninety** (nain-ti; noventa)
- **One hundred** (uân hãn-dred; cem)
- **One hundred and one** (uân hãn-dred end uân; cento e um)

Segundo e Terceiro: Números Ordinais

Primeiro, segundo e terceiro são números ordinais. Eles são importantes para dizer datas, dar endereços e responder perguntas. Estas são algumas regras simples que indicam como dizer números ordinais:

- Para números que terminam em 1 (exceto 11°), diga **first** (*fârst*; primeiro).
- Para números que terminam em 2 (exceto 12°), diga **second** (*sé-cond*; segundo).
- Para números que terminam em 3 (exceto 13°), diga **third** (*thârd*; terceiro).
- Para 11°, 12°, 13° e todos os outros números, acrescente a terminação **–th**.

Esta é uma lista dos números ordinais:

- **First** ou **1st** (*fârst*; primeiro)
- **Second** ou **2nd** (*sé-cond*; segundo)
- **Third** ou **3rd** (*thârd*; terceiro)
- **Fourth** ou **4th** (*fôrth*; quarto)
- **Fifth** ou **5th** (*fifth*; quinto)
- **Sixth** ou **6th** (*siksth*; sexto)
- **Seventh** ou **7th** (*seventh*; sétimo)
- **Eighth** ou **8th** (*eith*; oitavo)
- **Ninth** ou **9th** (*naith*; nono)
- **Tenth** ou **10th** (*tenth*; décimo)
- **Eleventh** ou **11th** (*e-lé-venth*; décimo primeiro)

50   Guia de Conversação Inglês para Leigos

- **Twelfth** ou **12th** (*tuélfth*; décimo segundo)
- **Thirteenth** ou **13th** (*thâr-tinth*; décimo terceiro)
- **Fourteenth** ou **14th** (*for-ti-inth*; décimo quarto)
- **Fifteenth** ou **15th** (*fif-ti-inth*; décimo quinto)
- **Sixteenth** ou **16th** (*siks-ti-inth*; décimo sexto)
- **Seventeenth** ou **17th** (*sé-ven-ti-inth*; décimo sétimo)
- **Eighteenth** ou **18th** (*eit-i-inth*; décimo oitavo)
- **Nineteenth** ou **19th** (*nain-ti-inth*; décimo nono)
- **Twentieth** ou **20th** (*tuen-tieth*; vigésimo)
- **Twenty-first** ou **21st** (*tuen-ti fârst*; vigésimo primeiro)
- **Thirtieth** ou **30th** (*thâr-tieth*; trigésimo)
- **One-hundredth** ou **100th** (*uân hân-dredth*; centésimo)

Horas

Em inglês americano pode-se falar de **time** (*taim*/ tempo) de várias maneiras:

- Com os números de 1 a 12 (não de 1 a 24)
- Com abreviações **a.m.** (antes do meio-dia) e **p.m.** (à tarde até a madrugada)

Também podemos dizer **in the morning** (*in dhe mór-nin*; de manhã) no lugar de **a.m.** Em vez de **p.m.**, podemos usar a frase **in the afternoon** (*in dhe af-ter-nu-un*; a tarde) ou **in the evening** (*i-iv-nin*, a noite).

É muito fácil não se confundir com a hora 12, porque **12 a.m**. se diz **midnight** (*mid-nait*; meia-noite) e 12 p.m. se diz **noon** (*nu-un*; meio-dia).

Nos Estados Unidos, apenas o exército usa o sistema **24-horas** (*tuen-ti-fór aurs*/24 horas) (**1h à 24h).**

Capítulo 3: Sopa de Números: Contando Tudo 51

Em geral o tempo é composto pelas horas seguidas dos minutos. Para 13h30, dizemos **one-thirty** (*uân thâr-ti*/ uma e meia). Estes são alguns exemplos:

- **7h05** = **seven oh five** (*sé-ven ou faiv*; sete e cinco)
- **10h15** = **ten fifteen** (*ten fif-ti-in*; dez e quinze)
- **11h45** = **eleven fourty-five** (*i-lé-ven fór-ti fáive*; onze e quarenta e cinco)

Há várias maneiras de expressarmos uma hora específica em inglês. Observe os seguintes exemplos:

- **It's three p.m.** (*its thri pi em*; São três horas.)
- **It's three in the afternoon**. (*its thri in dhe af-ter-nu-un*; São três horas da tarde.)
- **It's three o'clock in the afternoon**. (*its thri ou clóc in dhe af-ter-nu-un*; São três horas da tarde.)
- **It's three.** (*its thri*; São três.)

Não é necessário dizer a palavra **o'clock** (*ou clóc*; em ponto) depois da hora, e é muito raro que alguém a diga antes de **a.m**. e **p.m.**

Também é muito raro os americanos usarem **past** (*pést*; passado) e **before** (*bi-fór*; antes) para dizer os minutos com a hora. No lugar dessas palavras, as pessoas tendem a usar a palavra **after** (*af-ter*; depois) como em **ten after three** (ou 3h10) e a palavra **to** (*tchu*; para) ou **till** (*til*; para) como em **ten to five** (ou 4h50).

Quando há 15 minutos de qualquer lado da hora, podemos utilizar a expressão a **quarter after** (*a cuórtâr af-ter*/ um quarto depois) e **a quarter to** (*a cuórtâr tu*/ um quarto para). Isso significa que podemos dizer 3h45 como **a quarter to four** (*a cuórtâr tchu for*/ quinze para as quatro).

Usam-se três preposições – **at** (*ét*; em), **in** (*in*; em) e **on** (*on*; em) – para expressar o tempo. Decidir qual delas utilizar pode parecer aleatório, é preciso que seguir as seguintes regras:

- Use **at** com expressões precisas de tempo, assim como com a palavra **night**.
- Use **in** com as expressões **the morning**, **the evening** e **the afternoon**.
- Use **on** com dias da semana, **weekend** (*ui-ik end*; fim de semana) e dias de feriado.

Observe os seguintes exemplos:

- **The concert starts at 9:00**. (*dhe kon-sert starts ét nain*; o concerto começa às 21h00.)
- **The program is at night.** (*dhe pró-gram is ét nait*; O programa é a noite.)
- **We went to the park in the afternoon**. (*ui uent tchu dhe parc in dhe af-ter-nu-un*; Nós fomos ao parque a tarde.)
- **The museum is closed on Monday**. (*dhe miu-zi-um iz clouzed on mon-dei*; O museu está fechado às segundas-feiras.)

E se, por acaso, você precisar saber a hora? Você pode perguntar com uma dessas expressões:

- **What time is it?** (*uát taim is it*; Que horas são?)
- **Do you have the time?** (*du iú hév dhe taim*; Você tem horas?)

Não se esqueça de usar o artigo **the** quando perguntar: **Do you have the time?** Se você esquecer estará dizendo **Do you have time?** (*du iu hév taim*; Você tem tempo?), que significa "Você está ocupado?" ou "Você tem um momento?". Se cometer esse erro e fizer essa pergunta, a pessoa poderá perguntar, **"Time for what?"** (*taim for uát*; Tempo para quê?).

Capítulo 3: Sopa de Números: Contando Tudo **53**

Dias, Meses e Datas

Já sei, já sei, os dias e os meses não são precisamente números, mas sim uma maneira de mensurar o tempo. As seguintes seções mostram o que é necessário saber.

Meses do ano

A seguir, uma lista dos meses do ano:

- **January** (*dje-niu*; janeiro)
- **February** (*Fe*-bru-*éri*; fevereiro)
- **March** (*march*; março)
- **April** (*ei-pril*; abril)
- **May** (*mei*; maio)
- **June** (*djun*; junho)
- **July** (*dju-lai*; julho)
- **August** (*ó-gust*; agosto)
- **September** (*sep-tém-ber*; setembro)
- **October** (*óc-touber*; outubro)
- **November** (*no-vember*; novembro)
- **December** (*di-cember*; dezembro)

Dias da semana

Você não gostaria que todos os dias fossem sexta-feira? Aqui estão os dias da semana:

- **Sunday** (*sân-dei*; domingo)
- **Monday** (*mân-dei*; segunda-feira)
- **Tuesday** (*tchus-dei*; terça-feira)
- **Wednesday** (*uéns-dei*; quarta-feira)
- **Thursday** (*thârs-dei*; quinta-feira)
- **Friday** (*frai-dei*; sexta-feira)
- **Saturday** (*sa-tur-dei*; sábado)

Falando em datas

Em inglês, as datas são escritas nesta ordem: **month/day/year** (*mânth/dei/iar*/mês/dia/ano). Por exemplo, a data 3/1/2007 é 1º de março de 2007 (não 3 de janeiro de 2007). Quando você fala, pode expressar a data em uma das duas seguintes maneiras:

- **March first, two thousand and seven.** (*march fârst tchu thau-zand end sé-ven*; Primeiro de março de dois mil e sete.)
- **The first of March, two thousand seven.** (*dhe fârst óf march tu thau-zand sé-ven*; Primeiro de março de dois mil e sete.)

Daqui a pouco você se acostuma a ler e a escrever primeiro o mês, mas estranhará ao ver uma data como 5/13/07. Não há um décimo terceiro mês!

Dinheiro, Dinheiro, Dinheiro

Os **dollars** (*dó-lars*; dólares), ou papel moeda, e os **cents** (*cents*; moedas) são o que circula como dinheiro nos Estados Unidos. Todas as notas são parecidas – são verdes! As notas são do mesmo tamanho e têm o retrato dos presidentes americanos. Porém, não valem o mesmo. As **bills** (*bils*; notas) americanas têm as seguintes **denominations** (*de-no--mi-neichions*; denominações).

- **Ones** (uâns; um)
- **Fives** (faivs; cinco)
- **Tens** (tens; dez)
- **Twenties** (tuen-tis; vinte)
- **Fifties** (fif-tis; cinquenta)
- **One hundred** (uân hân-dreds; cem)
- **Five hundreds** (faiv hân-dreds; quinhentos)

Se alguém falar **it costs five bucks** (*it cósts faiv bâcks*/ Isto custa cinco dólares), não está falando de um veado macho

Capítulo 3: Sopa de Números: Contando Tudo 55

(que também é chamado de **buck**): quer dizer cinco dólares! A **buck** (*bâk*/ veado macho) é uma gíria ou jargão para dizer dólar. Outra expressão para dinheiro é **that green stuff** (*dhét gri-in stâf*/ aquela coisa verde) – é uma referência geral para todas as notas. Se quiser usar essa expressão, lembre-se de usar a palavra **that**.

As diferentes moedas se expressam em **cents** (¢). Cem centavos correspondem a um dólar. A seguinte lista lhe dá uma ideia rápida dos números das moedas e suas denominações.

- **Penny** (*pe-ni*; um centavo): 1 ¢
- **Nickel** (*ni-kel*; cinco centavos) 5¢
- **Dime** (*daim*; dez centavos) 10¢
- **Quarter** (*cuor-târ*; vinte e cinco centavos): 25¢

Outra forma de escrever centavos é: $.05 para cinco centavos, $.10 para dez centavos etc. As quantidades em dólares são escritas assim: $10 ou $10.00. Use um **decimal point** (*de-ci-mal póint*; ponto decimal) e não uma vírgula, para indicar os centavos.

Quando você diz **This is ten dollars** (*dhis iz ten dólars*; Isto são dez dólares), a palavra **dollars** é um substantivo plural, porque termina com **–s**. Mas quando for dizer **This is a ten-dollar bill** (*dhis iz a ten dólar bil*; Esta é uma nota de dez dólares) você se perguntará para onde foi o **-s** da palavra dólar? A resposta é fácil. Na segunda oração, **dollar** não é um substantivo, é um adjetivo que descreve (ou informa mais sobre) a palavra **bill.** Em inglês, os adjetivos não têm terminações de plural, porém, descrevem substantivos no plural. (Você pode encontrar mais informações sobre substantivos e adjetivos no capítulo 2.)

56 Guia de Conversação Inglês para Leigos

Palavras a Saber

Dollar	(dó-lar)	Dólar
Bill	(bil)	Nota
Paper Money	(pei-per mâ-ni)	Papel moeda
Cents	(cents)	Centavos
Coin	(cóin)	Moeda
Denomination	(de-no-mi-nei-chion)	Denominação

Como trocar seu dinheiro pela moeda local

Nos Estados Unidos só se pode usar **U.S. currency** (*iu és câ-ren-ci*; moeda americana), portanto, você precisa saber de imediato onde trocar seu dinheiro e como fazer a **transaction** (*tran-zac-chion*/ transação) em inglês.

As frases seguintes podem ajudá-lo a obter dinheiro americano:

- ✔ **Where can I exchange money?** (*uér kén ai eks-tchein-dj mâ-ni*; Onde posso trocar dinheiro?)
- ✔ **Where can I find a bank?** (*uér kén ai faind a benk*; Onde posso achar um banco?)
- ✔ **Do you exchange foreign currency?** (*du iu eks-tchein-dj fó-rein câ-ren-ci*; Você troca moeda estrangeira?)

Onde quer que você vá trocar seu dinheiro, terá que conhecer a **exchange rate** (*eks-tchein-dj reit*; taxa de câmbio). O caixa informará sobre a taxa de câmbio (e sem cobrar taxa).

Estas são algumas frases das quais você precisará para realizar a transação de câmbio de moeda:

Capítulo 3: Sopa de Números: Contando Tudo **57**

What is the exchange rate today? (*uát iz dhâ eks-tchein-dj reit tchu-dei*/ Qual é o tipo de câmbio de hoje?)

Do you charge a fee? (*du iu tchardj a fi-i*/ Você cobra taxa?)

I'd like to exchange money, please. (*aid laik tchu eks-tchein-dj mâ-ni, pli-iz*/ Eu gostaria de trocar dinheiro, por favor.)

Palavras a Saber

To exchange	(Tchu eks-tchein-dj)	Cambiar / trocar
Exchange rate	(eks-tchein-dj reit)	Taxa de câmbio
Currency	(câ-ren-ci)	Moeda
Transaction	(Tran-zac-chion)	Transação
Free	(Fi-i)	Taxa

No banco

Ao entrar no banco, geralmente você vai encontrar uma área em que as pessoas esperam para passar com o **next avaible teller** (*nekst a-veil-a-bul te-ler*/ próximo caixa disponível). Fique atento. Quando for a sua vez, o caixa dirá algo como:

- ✔ **Next**! (*nékst*/ Próximo!)
- ✔ **May I help you?** (*mei ai help iu*? Posso ajudá-lo?)
- ✔ **I can help you down here.** (*ai kén help iu daun hi-âr*/ Posso te ajudar aqui.)

Aproxime-se e explique o que você precisa. As expressões seguintes devem cumprir a maioria das suas necessidades bancárias:

58 Guia de Conversação Inglês para Leigos

- **I'd like to cash some traveler's checks.** (*aid laik tchu késh som tra-ve-lers tchéks*/ Eu gostaria de trocar alguns cheques estrangeiros.)
- **I need to cash a check**. (*ai ni-id tchu késh a tchék*/ Eu preciso trocar um cheque.)
- **I want to make a deposit**. (*ai uânt tchu meik a di-po--zit*/ Quero fazer um depósito.)
- **I'd like to open an account**. (*aid laik tchu o-pen én a-caunt*/ Eu quero abrir uma conta.)

Palavras a Saber

Cash a check	(késh a tchék)	Trocar um cheque
Open an account	(o-pen én a-caunt)	Abrir uma conta
Make a deposit	(meik a di-pó-zit)	Fazer um depósito
Teller	(té-ler)	Caixa
Traveler's checks	(tra-ve-lers tchéks)	Cheques estrangeiros
Receipt	(ri-ci-it)	Recibo

Usando o caixa automático

Existem vários **automated teller machines** (*o-to-mei-ted té-ler ma-chins*/ caixas eletrônicos) ou **ATMs** (*ei-ti-ems*) nos Estados Unidos.

Esta é uma lista do que você pode ver na tela do caixa eletrônico, passo a passo, e como interpretá-la. (***Nota***: Pode

Capítulo 3: Sopa de Números: Contando Tudo   *59*

ser que os textos variem, mas esta lista lhe dá uma ideia geral do que você irá encontrar.)

1. **Please insert you card**. (*pli-iz in-sert iór card*; Por favor, insira seu cartão.)

   Neste momento, se á máquina for bilíngue, haverá a opção de escolha do idioma.

2. **Enter your PIN (or secret code) and then press Enter.** (*en-ter iór pin ór si-cret coud and dhen prés en-ter*; Tecle seu código pessoal (ou senha) e pressione **Enter**.)

3. **Choose the type of transaction that you want to make.** (*tchu-uz dhe taip óv tran-zac-chion dhét iu uant tu meik*; Selecione o tipo de transação que você deseja fazer.) Por exemplo: **withdraw cash** (*uith-dró késh*; retirada direta) **deposit** (*di-pó-zit*; depósito). **Account balance** (*a-caunt ba-lans*; saldo) ou **transfer/ eletronic payment** (*trans-fer i-léc-tro-nic pei-ment*; transferência/ pagamento eletrônico). Se você selecionar **withdraw cash**, ele vai perguntar de onde você quer fazer a retirada: **your checking account** (*iór tchek ing a-caunt* (sua conta de cheques), **savings account** (*sei-vings a-caunt*; conta-poupança) ou **credit card** (*cré-dit card*; cartão de crédito).

4. Depois de selecionar ou teclar uma quantidade, você vai ver as seguintes frases **in order** (*in ór-der*; em ordem): **You entered $200.00. Is that correct? Yes or No**? (*iu en- -te-red tchu hân-dred dó-lars iz dhét co-réct iés ór nou*; Você selecionou $200.00. Está correto? Sim ou Não?) **Your request is being processed** (*iór ri-kuést is bi-ing pro-cest*; Seu pedido está sendo processado.) **Please remove your cash** (*pli-iz ri-mu-uv iór késh*; Por favor, retire seu dinheiro.) **Would you like another transaction? Yes or No**? (*u- ud iu laik a-nó-dher tran-zac-chion?*) **Please remove your card and receipt.** (*pli-is ri-mu-uv iór card and ri-ci-it*; Por favor, retire seu cartão e seu recibo.)

60 Guia de Conversação Inglês para Leigos

Palavras a Saber

To choose	(tchu tchu-uz)	Selecionar
To enter	(tchu en-ter)	Continuar
To remove	(tchu ri-mu-uv)	Retirar
To press	(tchu prés)	Pressionar
To withdraw	(tchu uith-dró)	Retirar (sacar dinheiro)
Card	(card)	Cartão
Cash	(késh)	Dinheiro vivo
Checking	(tchék-ing)	De cheques
Saving	(sei-vins)	Poupança
Balance	(ba-lans)	Saldo

Põe na minha conta!: Usando cartões de crédito

Os cartões de crédito (ou débito) facilitam a vida dos turistas. As frases seguintes o ajudarão a conhecer os tipos de pagamento que você pode fazer:

- **Do you take credit cards?** (*du iu teik cré-dit cards*? Você aceita cartão de crédito?)
- **Can I use my bank card?** (*kén ai iuz mai bénk card*; Posso usar o cartão do meu banco?
- **May I write a check?** (*mei ai r-ait a tchék*; Posso fazer um cheque?)
- **May I pay with cash?** (*mei ai pei uith késh*; Posso pagar em dinheiro?)

Capítulo 3: Sopa de Números: Contando Tudo   *61*

Quando o atendente ou o caixa pergunta como vai ser o pagamento, responda usando as preposições **by** (*bai*; com) ou **with** (*uith*; com). Essas preposições ligam a palavra **pay** (*pei*; pagar) à forma de pagamento. Observe estes exemplos de formas de pagamento:

> ✔ **I'll pay by check**. (*al pei bai tchéck*. Vou pagar com cheque.)
>
>   **...by credit card**. (*bai crédit card*; com cartão de crédito.)
>
> ✔ **I'll pay with a check**. (*al pei uith a tchéck*; Vou pagar com cheque.)
>
>   **... with a credit card.**(*uith a cré-dit card*; com cartão de crédito.)
>
>   **... with cash.** (*uith késh*; com dinheiro.)

Nota: Você também pode dizer **I'll pay in cash** (*al pei in késh*/ Vou pagar em dinheiro) – e, geralmente, não **by cash** (*bai késh*; com dinheiro).

62   Guia de Conversação Inglês para Leigos

Capítulo 4

Fazendo Novos Amigos e Conversando de Maneira Informal

Neste capítulo

▶ Dizendo oi e adeus
▶ Apresentações formais e informais
▶ Aprenda algo a mais sobre os nomes americanos
▶ Descrevendo uma pessoa
▶ Falando do tempo
▶ Sobre a família
▶ Evitando temas delicados

*N*este capítulo, apresento frases simples que podem ajudá-lo a se apresentar e a conhecer um pouco mais outra pessoa, bem como apresentar seus amigos, descrever uma pessoa, e como **chat** (*chét*; conversar) sobre temas comuns (como o clima, interesses, família etc.)

Saudações

Você sempre pode cumprimentar alguém com um simples **Hello** (*He-lou*; olá) ou **Hi** (hai; oi) ou pode usar uma frase que esteja mais de acordo com a situação. Por exemplo:

- **Good morning** (*gud mor-nin*; bom-dia): Você pode dizer isso a qualquer momento antes do meio-dia.
- **Good afternoon** (*gud af-ter-nu-un*; boa-tarde) Você pode dizer isso a partir do meio-dia até às 17h – antes que anoiteça.
- **Good evening** (*gud iv-nin;* boa-noite) Você pode dizer isso depois das 17h ou 18h, e a qualquer momento depois que escureça.

Good night (*gud nait;* boa-noite) não é um cumprimento (nem se estiver muito tarde). É uma expressão para dizer **good bye** (*gud bai*; adeus) depois de anoitecer. Se você conhecer alguém e cumprimentá-lo com **good night**, ele dirá "O quê? Mas já vai tão cedo? Mas você acabou de chegar!"

Perguntando "Como você está?"

Depois (ou, algumas vezes, ao invés de) dizer **hello**, as pessoas perguntam **How are you**? (*hau ar iu*; Como vai você?). Na lista a seguir, você encontrará alguns cumprimentos usuais e as maneiras de responder com outras perguntas. Note que o primeiro é muito formal, os demais são mais informais.

How are you doing? (*hau ar iu du-ing;* "Como vai você?)	Very well, thank you. And how are you? (*vê-ri uél thenk iu end hau ar iu;* Muito bem, obrigado. E como vai você?
How are you? (*hau ar iu?;* Como vai você?)	Not bad. How about you? *Nót béd hau a-baut iu;* Nada mal. E você?
How's it going? (*haus it go-in;* Como vai você?)	Great. How about you? (*greit hau a-baut iu;* Muito bem. E você?
How are things? (*hau ar things;* Como vão as coisas?)	Fine. And you? (*fain end iu;* Bem, e você?)

Capítulo 4: Fazendo Novos Amigos e Conversando de Maneira... *65*

Ao perguntar "**How are you?** enfatize a palavra **you** ao pronunciar. E ao falar **And you?**, pronuncie **you** elevando a entonação no final. Por outro lado, quando perguntar **How about you?** ou **What about you?** pronuncie **you** com uma ligeira elevação. (Consulte o capítulo 1 para obter mais informações sobre pronúncia e entonação.)

O cumprimento **How are you doing?** Significa o mesmo que **How are you?**, portanto você pode fazer ambas as perguntas da mesma forma. E lembre-se de que **How are you doing?** É diferente de **What are you doing?** (*uát ar iu du-ing*; O que você está fazendo?). Pouquíssimas pessoas se encontram na rua e dizem **Hi, what are you doing?** Porque a resposta é óbvia: estou andando na rua!

Não importa se a pessoa está bem ou mal, quando alguém pergunta **How are you?,** a resposta mais apropriada é **I'm fine, thanks. And you?** (*aim fain thenks end iu*; Eu estou bem e você?). Quase todo mundo responde assim, principalmente nas situações mais formais com estranhos e pessoas que acabaram de conhecer. É claro que, com amigos, e inclusive companheiros de trabalho, as pessoas geralmente dizem como se sentem de verdade! Por exemplo:

- **Terrific** (*te-ri-fic*; excelente)
- **Fantastic** (*fan-tés-tic*; fantástico)
- **Wonderful** (*uan-der-ful*; maravilhoso)
- **Okay** (*ou-kei*/ tudo bem)
- **So-so** (*sou-sou*; mais ou menos)
- **Not so good** (*nót sou gud*; não tão bem)
- **Terrible** (*té-ri-bl*; terrível)

Alguns cumprimentos informais

Muitas pessoas usam **slangs** (*slengs;* frase informal, linguagem popular, jargão, gíria) para cumprimentar. A lista a seguir mostra algumas versões informais de **How are you**?, junto com algumas respostas possíveis. No último exemplo há uma frase muito informal e bem atual usada pelos jovens.

66 Guia de Conversação Inglês para Leigos

What's up? (*uáts âp*; Qual é a onda?"	**Not much. What's up with you?** (*nót mã-tch uáts âp uith iu*; Nada. Qual é a sua?)
What's happening? (*uáts hé-pening*; O que está acontecendo?)	**Nothing much. How about you?** (*nó-thing mã-tch hau a-baut iu*; Nada demais. E você?)
What's going on? (*uáts go-ing on*; O que está acontecendo?)	**Not much. You?** (*nót mã-tch iu*; Nada demais. E você?
Wassup? (*uâs âp*; Qual é?)	**Hey.** (*hei*; É.)

Cumprimentos como **What's up?** e **What's going on?** significam o mesmo que **What are you doing?** Você pode respondê-los dizendo o que está fazendo no momento, como **I'm studing** (*aim stã-din*; estou estudando) ou **I'm waiting for a friend** (*aim uei-ting for a friend*/ estou esperando um amigo). Mas, geralmente, as pessoas respondem às perguntas como **What's up?** com **Not much** (*nót mã-tch*/ nada demais) ou **Nothing much** (*nó-thing mã-tch*/ nada de mais). E depois contam o que realmente estão fazendo.

Despedidas

Quando é hora de dizer adeus e ir embora, existem várias formas para se terminar uma conversa educadamente antes de partir. Estes são alguns exemplos:

- **I've got to go now.** (*aiv gót tchu go-u nau*; Tenho que ir.)
- **I'd better go.** (*aid bét-ter go-u*; É melhor eu ir.)
- **It was nice talking to you.** (*it uás nais tal-kin tchu iu*; Foi bom falar com você.)

E, em seguida diga:

- **Good bye.** (*gud bai*; Tchau.)
- **Bye**. (*bai*; Tchau.)
- **So long**. (*so-u long*; Até logo.)
- **See you later**. (*si-i iu lei-ter*; Até mais.)

Apresentações

Antes de dizer **It's nice to meet you** (*its nais tchu mi-it iu*/ Prazer em conhecer); você precisa ser apresentado. Portanto, nesta seção, falaremos sobre as apresentações (formais e informais). E se não tiver ninguém para apresentá-lo, vou ensinar como fazê-lo você mesmo.

Apresentando você mesmo

Você está em uma festa ou em uma reunião de trabalho e precisa se apresentar. Estas são as formas mais simples de fazer isso:

- **Hi. I'm ...** (*hai aim*; Oi, Eu sou...)
- **Hello. My name is...** (*he-lou mai neim is*; Olá, meu nome é...)

Se a situação requerer uma apresentação mais formal, você pode dizer:

- **I'd like to introduce myself. I'm...** (*aid laik tchu in-tro-dus mai-sélf*; Eu gostaria de me apresentar. Meu nome é...)
- **I don't think we've met. I'm...** (*ai don't think uiv mét aim*. Não creio que nos conheçamos, eu sou...)

Geralmente a outra pessoa responde com o seu nome. Se não for assim, você pode continuar a frase com: **And what's your name?** (*end uáts iór neim*; E qual é o seu nome?).

Quando alguém falar **It's nice to meet you** (*its nais tchu mi-it iu*/ Prazer em conhecê-lo) só repita a resposta e acrescente **too** (*tchu-u*; também) da seguinte maneira **It's nice to meet you too** (*its nais tchu mi-it iu tchu-u*/ Também é um prazer te conhece-lo). Todavia, uma resposta informal mais simples seria **Same here** (*seim hi-ãr*; Igualmente).

Formal ou informal, não diga **Me too** (*mi tchu-u*; Eu também) quando alguém disser **It's nice to meet you**, é porque significa

68 Guia de Conversação Inglês para Leigos

"Eu também acho que é muito bom me conhecer". É uma resposta engraçada, mas não é isso o que você quer dizer!

Apresentando aos outros

Haverá ocasiões em que você terá que apresentar outras pessoas a seus familiares e amigos. Essas apresentações são informais, porém educadas:

- **This is _____.** (*dhis iz*; Ele(a) é)
- **Meet my friend _____.** (*mi-it mal ftrénd*; Conheça meu amigo(a))

E quando for necessário ser mais formal, você pode usar uma das seguintes frases:

- **Please let me introduce _____.** (*pli-is lét mi in-tro-du-us*; Por favor, permita-me apresentar.)
- **I'd like you to meet _____.** (*aid laik iu tchu mi-it*; Gostaria de te apresentar.)

Algumas vezes as pessoas que estamos apresentando já se conhecem. Se não tiver certeza, pode dizer:

- **Have you met_____?** (*hév iu mét*; Você já conhece…?)
- **Do you know_____ ?** (*du iu nou*; Você conhece…?)

Palavras a Saber		
Introduce	(*in-tro-du-us*)	Apresentar
Let me introduce	(*lét mi in-tro-du-us*)	Permita-me apresentar
To meet	(*tchu mit*)	Conhecer
Introduction	(*in-tro-duc-chion*)	Apresentação

O Que Vem Depois De Um Nome?

Os nomes são importantes, por isso, esta seção é sobre como perguntar o nome de alguém e como dizer o seu, como usar nomes e títulos de acordo com a formalidade da situação e um pouco como os americanos recebem seus nomes.

Nomeando nomes

Há muitas formas para os nomes nos Estados Unidos. Por exemplo, quando você vai chamar alguém, pode ser de três formas: o nome, o segundo nome (ou a inicial) e o apelido. Mas não se preocupe. Os conselhos a seguir irão ajudá-lo a entender isto:

- ✔ O **first name** (*fãrst neim*; primeiro nome), também conhecido como **given name**, se diz primeiro, óbvio! Esses nomes são escolhidos, geralmente pelos pais ou outros membros da família. Alguns nomes têm uma forma mais longa e outra mais curta como Katherine e Kathy ou Kate. Muitos dos nomes americanos vêm da bíblia, por isso algumas vezes você escutará o termo **Christian name** (*kris-tchian neim;/* nome cristão).

- ✔ Nem todos têm um **middle name** (*mi-dou neim*; nome do meio), mas é muito comum. Os pais ou outra pessoa escolhe esse nome. Às vezes é o nome de um antepassado ou um apelido. A maioria das pessoas usa esse nome ou inicial apenas para assuntos oficiais.

- ✔ O **last name** (*lést neim*; sobrenome) é o mesmo que **family name** ou **surname**. Quando for se apresentar, diga primeiro o seu nome.

- ✔ Esse nomezinho que sua família usava para lhe chamar quando criança, era um **nickname** (*nik-neim*; apelido). Algumas vezes o apelido é formado acrescentando um **–y** ou **–ie** no final dos nomes como **Joanie** ou **Joshy**. Para ter um tema divertido para conversar, pergunte: **Do you have a nickname?** (*du iu hév a nik-neim*; Você tem apelido?)

Utilize as seguintes expressões para se identificar e falar de nomes:

70 Guia de Conversação Inglês para Leigos

- **My first name is____.** (*mai fârst neim iz*; Meu nome é...)
- **My middle name is _.** (*mai mid-dou neim iz*; O meu segundo nome é...)
- **My last name is _____.** (*mai lést neim iz*; Meu sobrenome é...)
- **My maiden name is _.** (*mai mei-den naim iz*; Meu sobrenome de solteira é...)
- **My son's name is ___.** (*mai sâns neim iz*; O nome do meu filho é...)
- **I call my son** .(*ai col mai son*;/Eu chamo meu filho de..._
- **It's short for** .(*its chórt fór*; É diminutivo de ...)
- **I'm named after____.** (*aim neimd af-ter*; Meu nome vem de...)

Títulos e termos de respeito

A sociedade americana utiliza apenas o nome para se apresentar e se referir às pessoas em um ambiente informal. Por exemplo, no trabalho ou na sala de aula, o chefe ou o professor pode dizer **You can call me by my first name** (*iu kén col mi bai mai fârst neim*; Você pode me chamar pelo meu nome).

Quando a situação precisar de um pouco mais de formalidade, os pronomes de tratamento da tabela 4-1 são muito úteis e comuns.

Tabela 4-1	Pronome de Tratamento
Tratamento	*Abreviação*
Ms. (*mis*; genérico para mulher)	**Ms.**
Mister (*mis-ter*; Senhor)	**Mr.**
Miss (*mis*; Senhorita)	**Miss**
Missus (*mis-ses*; Senhora)	**Mrs.**
Dóctor (*dók-tor*; Doutor)	**Dr.**
Professor (*pro-fés-sor*; Professor)	**Prof.**

Descrições De Pessoas – Baixo, Alto, Grande e Pequeno

Se você precisar dizer a alguém como reconhecê-lo no aeroporto ou se precisar descrever as qualidades físicas de seu amado (a), é bom conhecer algumas palavras descritivas para que seu interlocutor "capte a imagem". Estas são algumas palavras que irão ajudá-lo a descrever outras pessoas e você mesmo:

- **Small** (*smol*; pequeno)
- **Thin** (*thin;* magro)
- **Skinny** (*skin-ni*; magro)
- **Average** (*a-ver-idj*; médio, comum)
- **Medium build** (*mi-dium bild*; estatura média)
- **Big** (*big*; grande)
- **Large** (*lardj*; largo)
- **Heavy** (*hé-vi*; pesado)

É um pouco de falta de educação referir-se a alguém que esteja acima do peso como **fat** (*fét*; gordo) ou **chubby** (*châ-bi*; gordo). As palavras propícias são **large** ou **heavy**. Também lembre-se de que você pode usar adjetivos como **thin** e **slender** (*slen-der;* esbelta) mas **skinny** não é muito agradável.

Os olhos e os cabelos

As seguintes palavras irão ajudá-lo a descrever a cor do cabelo de alguém:

- **Black** (*blék*; preto)
- **Brown** (*braun;* castanho)
- **Red** (*réd*; ruivo)
- **Blond** (*blond*; loiro)
- **Strawberry blond** (*stro-bé-ri blond*; louro avermelhado)
- **Gray** (*grei*; grisalho)
- **White** (*uait*; branco)

72 Guia de Conversação Inglês para Leigos

Você pode utilizar essas palavras para descrever o tipo de cabelo de alguém:

- **Straight** (*steit*; liso)
- **Wavy** (*uei-vi*; ondulado)
- **Curly** (*kãr-li*; crespo)
- **Kinky (***kin-ki*; crespo)
- **Balding/bald** (*bal-din*/*bald*; calvo)

Sim, sim, a última palavra não descreve o tipo de cabelo, mas a ausência dele.

Se você estiver descrevendo a cor dos olhos de alguém, use estes termos:

- **Black** (*blék*; preto)
- **Brown** (*braun*; castanho)
- **Hazel** (*he-zel*; castanho claro)
- **Green** (*gri-in*; verde)
- **Blue** (*blu* azul)

Estas são algumas palavras para descrever as características particulares de uma pessoa:

- **Beard** (*bi-ãrd*; barba)
- **Freckles** (*frí-kls;* sardas)
- **Tattoo** (*ta-tu-u;* tatuagem)
- **Mustache** (*mus-tach*; bigode)
- **Glasses** (*glés-ses*; óculos)
- **Piercing** (*pi-ar-sing*; piercing)

Capítulo 4: Fazendo Novos Amigos e Conversando de Maneira... 73

Alcançando novas alturas

Com certeza você conhece a sua **height** (*hait*; altura) em metros (porque é bem provável que seu país utilize este sistema métrico decimal). Contudo, os americanos não usam esse sistema, então você terá que converter a sua altura para **feet** (*fi-it*; pés) e **inches** (*in-tches*; polegadas).

Estas são algumas formas de falar sobre a altura:

- **I'm five feet, ten inches**. (*aim faiv fi-it ten in-tches*; Tenho cinco pés e dez polegadas.)
- **I'm five feet, ten**. (*aim faiv fi-it ten*; Tenho cinco pés e dez.)
- **I'm five, ten**. (*aim faiv ten*; Tenho cinco e dez.)

Palavras a Saber		
Size	(*saiz*)	Tamanho
Shape	(*cheip*)	Forma
Height	(*hait*)	Altura
Weight	(*ueit*)	Peso
Feet	(*fi-it*)	Pés
Inches	(*in-tches*)	Polegadas

Jovens e velhos

Embora não seja educado perguntar a idade de alguém, as pessoas têm que falar dela em algumas situações. Mas discutir a idade com seus **peers** (*pi-ârs*; companheiros) – pessoas

74 Guia de Conversação Inglês para Leigos

da mesma idade ou mais novos que você – não é mal visto. Pode-se perguntar a idade das crianças; elas adoram contar! Se quiser falar da idade de alguém, pode dizer:

- **How old are you?** (*hau old ar iu*; Quantos anos você tem?)
- **May I ask your age?** (*mei ai ésk iór eidj*; Posso perguntar a sua idade?)

E estas são algumas das formas de falar da idade de alguém ou a sua própria:

- **I'm thirty years old**. (*aim thâr-ti iar old*/ Tenho trinta anos.)
- **She's a five-year-old**. (*chis a faiv iar old*/ Ela tem cinco anos.)
- **He's in his fifities**. (*his in his fif-tis*/ Ele tem uns cinquenta anos.)

Em inglês o verbo **to be** (*tchu bi*; ser/estar) é usado para expressar a idade – não o verbo **to have** (*tchu hév*; ter) como em vários outros idiomas. Os americanos não dizem **have years** (*hév iars*; tenho anos); dizem **I am _____years old** (*ai ém _____iars old*; Tenho _____anos).

Se você não precisa saber ou não sabe a idade exata, pode usar um termo geral que descreva uma média de idade. Observe os seguintes termos e seus significados:

- **Infant** (*in-fant*; bebê): um bebê recém nascido.
- **Baby** (*bei-bi*; bebê): um bebê de um a dois anos.
- **Toddler** (*tód-ler;* criança): um bebê que está aprendendo a andar.
- **Child** (*tchaild*; criança): de dois anos em diante.
- **Adolescent** (*a-do-les-ent*; adolescente): de 12 a 14 anos.
- **Teenager** (ti-in-eidjr; jovem) ou teen (*ti-in*; jovem): de 13 a 19 anos.

Capítulo 4: Fazendo Novos Amigos e Conversando de Maneira... **75**

- **Young adult** (*iong a-dâlt*; adulto jovem): alguém que esteja nos seus 20 anos.
- **Adult** (*a-dâlt*; adulto): uma pessoa fisicamente madura; legalmente, a partir dos 21.
- **Middle age** (*mi-dl eidj*; meia idade): uma pessoa que está entre os 40 e 50 anos
- **Senior** (*si-nior*; sênior): alguém com mais de 65 anos.
- **Elderly person** (*él-der-li pâr-son*; ancião): uma pessoa com idade muito avançada.

Perguntas Simples para Quebrar o Gelo

Depois de conhecer alguém, você pode continuar a conversa se souber como fazer algumas perguntas simples. Não esqueça que em inglês se usa a mesma forma **you** (*iu*; você, tu, e vocês) tanto para ocasiões formais quanto informais, assim como para falar com uma ou mais pessoas. Estes são alguns exemplos:

- **Do you speak English?** (*du iu spi-ik ing-lich*; Você fala inglês?)
- **What kind of work do you do?** (*uát kaind óv uork du iu du;*/ Com que você trabalha?)
- **What is your name?** (*uát is iór neim*; Qual é o seu nome?)
- **Where are you from?** (*uér ar iu from;* De onde você é?)

As perguntas seguintes podem ajudá-lo a conhecer alguém:

- **Are you married?** (*ar iu mér-rid*; Você é casado/a?)
- **Do you have children?** (*du iu hév tchil-dren*; Você tem filhos?)
- **How old are you?** (*hau old ar iu*; Quantos anos você tem?)

Você pode encontrar mais detalhes sobre a formação de perguntas com as palavras **what, where, how**, entre outras, no capítulo 2.

76 Guia de Conversação Inglês para Leigos

Falando do Clima

O **weather** (*ué-dher*, clima) afeta todo o mundo, então não é de se espantar que seja um dos temas mais comuns de conversas rápidas. Você pode falar do clima, de maneira muito simples, usando o pronome **it** (*it*; o, a, isto, isso), como em **It is sunny today** (*it iz sâ-ni tchu-dei*; Hoje o dia está ensolarado). Nessa oração, a palavra **it** não se refere a um substantivo específico, mas sim às condições gerais do clima. Os americanos quase sempre usam a contração **it's** (*its*; isto é) para dizer **it is**. (Consulte o capítulo 2 para mais detalhes sobre como formar as contrações.)

Estes são alguns exemplos de contração **it's** com palavras relativas ao clima:

- ✔ **It's hot**. (*its hot*; Está quente.)
- ✔ **It's cold**. (*its cold*; Está frio)
- ✔ **It's warm**. (*its uarm*. Está morno.)
- ✔ **It's dry**. (*its drai*; Está seco.)
- ✔ **It's raining**. (*its rein-in*; Está chovendo.)
- ✔ **It's snowing**. (*its snou-in*; Está nevando.)
- ✔ **It's windy**. (*its uin-di*; Está ventando muito.)
- ✔ **It's humid**. (*its hiu-mid*; Está úmido.)
- ✔ **It's cloudy**. (*its clau-di*; Está nublado.)
- ✔ **It's sunny**. (*its sân-ni*; Está ensolarado.)

Se você quiser falar do clima no passado ou no futuro, siga estas dicas:

- ✔ Para o clima de ontem utilize o verbo **was** (*uás*; estava), que é o passado do verbo **to be**. Por exemplo: **It was cold yesterday** (*it uás cold iés-ter-dei*; Ontem fez frio).
- ✔ Para o clima de amanhã, use o verbo **will be** (*uil bi*; será, estará), que é o futuro do verbo **to be**. Por exemplo: **It will be cloudy tomorrow** (*it uil bi clau-di tchu-mó-rou*; Amanhã estará nublado).

Capítulo 4: Fazendo Novos Amigos e Conversando de Maneira...

> ✔ Ao falar do clima no futuro, as pessoas geralmente dizem **I hope...** (*ai houp*; espero) ou **It might...** (*it mait*; Talvez), porque nada é completamente seguro sobre o clima do dia seguinte – nem os meteorologistas nem os físicos!

Estas são algumas frases "de introdução" (e suas respostas) que geralmente são usadas para iniciar uma conversa sobre o clima:

It's a beautiful day, isn't it?	**Yes, it is!**
(*it's a biu-ti-ful dei is-ānt it*; Está um dia lindo, não está?)	(*iés it is*; Sim, está!)
It sure is hot today, isn't it?	**It sure is!**
(*it chur is hót tchu-dei is-ānt it*; Está fazendo muito calor, não?)	(*it chur is*; Está mesmo!)
Nice weather, don't you think?	**Yes, I do.**
(*nais uédher don't iu think*; O tempo está agradável, não acha?)	(*iés ai du*; Sim, também acho.)

Estes tipos de frases de introdução geralmente terminam com uma pergunta curta que segue a oração principal. Se você quiser tentar formar uma destas perguntas, lembre-se de que quando a oração principal é afirmativa **It's a nice day...** (*its a nais dei*; Está um bonito dia...), a pergunta curta deve ser negativa: **... isn't?** (*is-ānt*; não é?). Por outro lado, se a oração principal for negativa: **It's not warm...** (*its nót uarm*; Não está muito quente.) a pergunta é afirmativa:**... is it?** (*Is it*; verdade?).

Para Manter a Conversa Viva

O clima é um tema formidável para iniciar uma conversa, mas depois de um tempo, você pode querer falar de coisas mais interessantes como família, trabalho, passatempos e acontecimentos atuais – sempre mantendo um tom informal. A seção seguinte dedica-se aos temas mais comuns de conversas rápidas para os americanos.

Onde mora?

Imediatamente depois de conhecer alguém, o mais comum é perguntar onde mora. Estas são as frases em inglês:

> - **Where do you live?** (*uér du iu liv*; Onde você mora?)
> - **What is your address?** (*uát is iór ad-drés*; Qual é o seu endereço?)
> - **Can I have your number?** (*ken ai hév iór nân-ber*; Pode me dar seu telefone?)

Ao responder, você pode usar uma destas frases:

> - **I live in Dallas, Texas.** (*ai liv in da-las téks-sas*; Moro em Dallas, Texas.)
> - **I live in an apartment.** (*ai liv in an a-part-ment*; Moro em um apartamento.)
> - **I live at 20 Forest Road.** (*ai liv ét twen-ti fór-est roud*; Moro na Forest Road, 20.)

Hoje em dia as pessoas geralmente informam o seu endereço de correio eletrônico (e-mail) no lugar do endereço de sua casa. Quando você for dar um endereço eletrônico em inglês, o símbolo @ é chamado de **at** (*ét*; arroba) e o ponto de **dot** (*dót*; ponto).

Falemos de negócios: O trabalho e a escola

O trabalho e a escola consomem a maior parte do tempo de uma pessoa, por isso são os temas mais comuns de conversas. Esta é a maneira de fazer perguntas sobre esses temas:

> - **What kind of work do you do?** (*uát kaind óv uork du iu du*; Que tipo de trabalho você faz?)
> - **Where do you work?** (*uér du iu uork*? Onde você trabalha?
> - **What school are you going to?** (*uát sku-ul ar iu go-ing tchu*? Em qual escola você vai?)

Capítulo 4: Fazendo Novos Amigos e Conversando de Maneira... 79

> ✔ **What are you studying?** (*uát ar iu stã-ding*; O que você está estudando?)

Ao falar de sua profissão, você pode dizer, **I'm a teacher** (*ai ém a ti-tcher*; Eu sou professor) ou **She is an artist** (*chi iz an ar-tist*; Ela é uma artista). Utilize os artigos **a** e **an**. (Para conhecer mais os nomes das diferentes profissões, consulte o capítulo 8.)

Palavras a Saber

Address	(*a-drés*)	Endereço
Phone number	(*foun nãm-ber*)	Número de telefone
To live	(*tchu liv*)	morar
To work	(*tchu uork*)	Trabalhar
To study	(*tchu stã-dí*)	Estudar
school	(*sku-ul*)	Escola

Gostos e preferências

A frase **Do you like...?** (*du iu laik*; Você gosta...?) é uma pergunta simples e útil para continuar uma conversa sobre gostos, preferências, tipos de música preferida etc. Observe as seguintes perguntas:

Do you like jazz?	**Yes, I do.**
(**du iu laik djéz**; Você gosta de jazz?)	(**iés ai du**; Sim, eu gosto.)
Do you like computer games?	**No, not much.**
(**du iu laik com-piu-ter gueims**; Você gosta de jogos de computador?	(**nou, nót mã-tch**; Não, não muito.)

80 Guia de Conversação Inglês para Leigos

Do you like cats?	**Not really. I prefer dogs.**
(*du iu laik kéts*; Você gosta de gatos?)	(*nót ri-i-li ai prifer dógs*; Não muito, eu prefiro cachorros.)

Outra pergunta fácil para continuar a conversa é **How do you like...?** (hau du iu laik/ O que você acha...). Esta pergunta se refere à opinião ou o que se pensa sobre algo, tanto que a pergunta **Do you like...?** só requer um sim como resposta. Observe as seguintes perguntas e suas respostas:

How do you like this town?	**I like. It's great!**
(*hau du iu laik dhis taun*; O que você acha desta cidade?)	(*ai laik its gre-it*; Eu gosto. É ótima!
How do you like your psychology class?	**It's interesting.**
(*hau du iu laik iór sai-co-lo-dji clés*; O que você acha da sua aula de psicologia?)	(*its in-tres-ting*; É interessante.)
How do you like my haircut?	**Hmm. It's very short.**
(*hau du iu laik mai hérkât*; O que você acha do meu corte de cabelo?	(*um its vé-ri chórt*; Está muito curto.)

Mesmo que não fale muito em inglês, você pode continuar uma conversa simples! Aqui vai outro truque muito fácil: quando alguém fizer uma pergunta, dê sua resposta e logo em seguida retorne a pergunta com uma destas frases:

- ✔ **And you?** (*end iu*; E você?)
- ✔ **How about you?** (*hau a-baut iu;* E você?)
- ✔ **What about you?** (*uát a-baut iu*? E você?)

Aqui estão algumas perguntas e respostas para praticar:

Capítulo 4: Fazendo Novos Amigos e Conversando de Maneira... *81*

Are you a student?	*Yes, I am. What about you?*
(*ar iu a stu-dent*; Você é estudante?)	(*iés ai em uát a-baut iu*; Sim, e você?)
Do you have any pets?	**Yes, two cats. How about you?**
(*du iu hév e-ni pets*; Você tem algum animal?)	(*iés tchu-u kéts hau a-baut iu*; Sim, dois gatos. E você?)

A Família

A maioria das pessoas gosta de falar da sua **family** (*fé-mi-li*). Estas são algumas palavras para iniciar o tema:

- **Mom** (*mom*; mamãe)
- **Dad** (*déd*; papai)
- **Parents** (*pé-rents*; pais)
- **Children/ kids** (*tchil-dren/kids*; filhos/ crianças)
- **Daughter** (*dó-ter;* filha)
- **Son** (*son*; filho)
- **Sister** (*sis-ter*; irmã)
- **Brother** (*bró-dher*; irmão)
- **Siblings** (*sib-lings*; irmãos)

E estes são os nomes de outros **relatives** (*re-la-tivs*; parentes):

- **Aunt** (*ent*; tia)
- **Uncle** (*âncl*; tio)
- **Cousin** (*câ-sin*; primo/a)
- **Niece** (*ni-is*; sobrinha)
- **Nephew** (*né-fiu*; sobrinho)
- **Grandmother** (*grend-mó-dher*; avó)
- **Grandfather** (*grend-fa-dher*; avô)
- **Stepmom** (*stép-mom*; madrasta)
- **Stepdad** (*step-déd*; padrasto)

82 Guia de Conversação Inglês para Leigos

- **Stepdaughter** (*stép-dó-ter*; enteada)
- **Stepson** (*step-son*; enteado)

Falar da família é fácil se você souber de algumas perguntas simples. Pergunte para a pessoa que você acabou de conhecer:

- **Do you have any children?** (*du iu hév e-ni tchil-dren*; Você tem filhos?)
- **Where does your family live?** (*uér dâs iór fé-mi-li liv*; Onde a sua família mora?)

Para as pessoas que você já conhece, pode perguntar:

- **How are your parents**? (*hau ar iór pé-rents*; Como estão os seus pais?)
- **How's your husband**? (*haus iór hâs-band*? Como está seu marido?)
- **How's your wife**? (*haus iór uaif*? Como está sua esposa?)
- **How old are your children**? (*hau old ar iór tchil-dren;* Quantos anos os seus filhos têm?

Se você escutar alguém falando dos **in-laws** (*in lós*; sogros), não está se referindo as leis ou aos advogados. Está falando dos sogros. Os pais de sua esposa são sua **mother-in-law** (*mó- dher in ló*; sogra) e seu **father-in-law** (*fa-dher in ló*; sogro). Disto temos, **daughter-in-law** (*dó-ter in ló*; nora) e **son-in-law** (*son in ló*; genro).

Capítulo 5

Apreciando uma Boa Comida e Bebida

Neste capítulo
- ▶ Vocabulário de comidas e restaurantes
- ▶ Fazendo uma reserva
- ▶ Compreendendo o menu
- ▶ Pedindo comida e bebida

*Q*uando se pensa na melhor comida do mundo, os países que falam inglês não se destacam na lista. De fato, é questionável se a palavra *alta culinária* pode ser aplicada à comida que chamaríamos *típica* dos Estados Unidos, como hambúrgueres, cachorro quente, batata frita e pizza congelada. (Sim, a pizza é italiana, mas a congelada é puramente americana!)

Porém, o país oferece muito mais que **fast food** (*fést fu-ud*; comida rápida). Pessoas de todas as partes do mundo trouxeram seus sabores e tradições, influenciando cozinhas regionais como **Cajun** (*kei-djun*; comida típica da Louisiana com influência francesa) e **Tex-Mex** (*téks-méks*; comida típica do Texas com influência mexicana). Continue lendo para descobrir algumas expressões relacionadas à comida e que o ajudarão a escolher e pedir nos Estados Unidos. E é claro, falaremos um pouco sobre comida rápida. Então, vamos à mesa!

Expressando Fome e Sede

Quando seu estômago lhe disser que é hora de comer, ou quando tiver que saciar a sede, estas expressões o ajudarão a conseguir algo para **eat** (*i-it*, comer) ou **drink** (*drink*; beber):

- **I'm hungry.** (*aim hãn-gri*; Estou com fome.)
- **I'm thirsty.** (*aim thãrs-ti*; Estou com sede.)
- **Let's eat.** (*léts i-it*; Vamos comer.)

I'm hungry é uma expressão direta e sem rodeios – quero comer! Mas existem várias expressões idiomáticas e exageradas quando se trata de expressar a fome. Estas são outras formas para dizer que tem muita fome:

- **I'm so hungry, I could eat a horse!** (*aim sou hãn-gri ai culd i-it a hórs*; Estou com tanta fome que comeria um cavalo!)
- **I'm starving!** (*aim star-vin*; Estou morrendo de fome!)
- **I'm famished!** (*aim fa-mishd*; Estou faminto!)

As Três Refeições

Nos Estados Unidos, a hora da refeição é um momento social para relaxar e a aproveitar a companhia – a não ser que você tenha que sair correndo para o trabalho ou tenha um horário de refeição muito curto. Embora o estilo de vida atual, mais acelerado, esteja mudando a maneira de comer de muitas pessoas, três refeições por dia continuam sendo a regra para a maioria dos americanos. A seção seguinte fala sobre as refeições do dia. Já te deu fome?

Capítulo 5: Apreciando uma Boa Comida e Bebida *85*

O que temos para o café da manhã?

Quando tiver fome pela manhã,você pode perguntar **What's for breakfast?** (*uáts fór brék-fést*; O que tem para o café da manhã?). A palavra café da manhã em inglês significa literalmente **to break the fast** (*tchu breik dhe fást*; quebrar o jejum). As pessoas tomam o café da manhã desde muito cedo até quase o meio-dia, mas ele é tão popular que em alguns restaurantes anunciam "Serve-se café da manhã o dia todo!"

Estes são alguns dos alimentos típicos para o café da manhã:

- **Bacon** (*bei-con*; bacon)
- **Cereal** (ci-ri-al; cereais)
- **Eggs** (*égs*; ovos)
- **French toast** (*fren-tch toust*; pão francês)
- **Pancakes** (*pan-keiks*; panquecas)
- **Sausage** (*só-seitch*; salsicha)
- **Toast** (*toust*; torrada)
- **Waffles** (*uei-fl*; waffles)

Algumas bebidas:

- **Coffee** (*có-fi*; café)
- **Juice** (*dju-us;/* suco)
- **Tea** (*ti-i*; chá)

Apesar de contar com toda essa variedade, muitas pessoas só tomam uma xícara de café e uma fatia de pão torrado durante a semana. Porém, no fim de semana, as pessoas levantam tarde e tomam o **brunch** (*brãntch/* mistura de café da manha e almoço). O **brunch** se apresenta como um buffet com todos os pratos típicos do café da manhã mais **omelets** (*om-léts/* omeletes) e outros estilos de pratos com ovos, pratos de almoço, **fruit** (*frut/* fruta)/ **pastries** (*pas-tris/* pastéis), **muffins** (*mã-fins/* bolinhos) e até mesmo **champagne** (*cham-pein/* champanhe).

O que temos para o almoço?

Entre o meio-dia e 13h, é hora de dizer **Let's lunch!** (*léts lântch*; Vamos almoçar!). A maioria das pessoas para tudo o que está fazendo para sair e comer algo ou aquecer algo no micro-ondas da cozinha do escritório e logo voltam para trabalhar. Mas, para algumas pessoas, um almoço mais nutritivo é a principal refeição do dia.

Estes são os pratos típicos do almoço:

- **Salad** (*sa-lad;* salada)
- **Sandwich** (*send-uitch;* sanduíche)
- **Soup** (*su-up;* sopa)
- **Microwaveable meal** (*mai-crou-ueiv-abl mi-il;* comida pronta para esquentar no micro-ondas)

Para falar de comida (no geral) podemos usar os verbos **to eat** (*tchu i-it*; comer) ou **to have** (*tchu hév*; ter). Por exemplo: **Let's eat lunch** (*léts i-it lântch*; Vamos almoçar) e **Let's have lunch** (*léts hév lântch*; Vamos almoçar); ambas têm o mesmo significado. E podemos usar os verbos **to drink** (*tchu drink*; beber) ou **to have** quando for falar para beber algo: **I drink coffee every morning** (*ai drink co-fi é-vri mor-nin*; Eu bebo café todas as manhãs) e **I have coffee every morning** (*ai hév co-fi é-vri mor-nin*; Eu tomo café todas as manhãs).

O que temos para jantar?

À noite você pode perguntar **What should we have for dinner?** (*uát chud uí hév fór di-ner*; O que temos para o jantar?). A hora do jantar começa por volta das 17h ou a qualquer hora do anoitecer, mas muitas pessoas jantam depois das 18h. Geralmente é a refeição principal do dia; pode ser a única em que a família inteira esteja reunida.

Capítulo 5: Apreciando uma Boa Comida e Bebida   87

Um jantar típico inclui um **main course** (*mein cors*; prato principal) como:

- **Casserole** (*ca-se-rol*; guisado)
- **Fish** (*fich*; peixe)
- **Meat** (*mi-it;* carne)
- **Pizza** (*pit-sa*; pizza)
- **Poultry** (*poul-tri*; frango/ galinha)
- **Spaghetti** (*spa-gué-ti*; macarrão)

E um ou todos dos seguintes **side dishes** (*said di-ches*; guarnições):

- **Bread** (*bréd*; pão)
- **Potatoes** (*po-tei-tous*; batatas)
- **Rice** (*rais*; arroz)
- **Salad** (*sa-lad*; salada)
- **Vegetable** (*vedj-ta-bls*; vegetais)

Consulte o capítulo 6 para ver um vocabulário de frutas e verduras.

Algumas regiões do país, por exemplo, algumas áreas do sudeste, fazem uma refeição principal ao meio-dia e outra mais rápida – que chama **supper** (*sã-per*; ceia) – à noite. Se por acaso der fome entre as refeições, você pode tomar um pequeno **snack** (*snék*; lanche).

Ao **set the table** (*set dhe tei-bl*; colocar a mesa) para o jantar, existem elementos básicos que você precisa conhecer:

- **Silverware** (*sil-ver-uer*; talher); **forks** (*fórks*; garfos); **knives** (*naivs*; facas); **spoons** (*spu-uns*; colheres)
- **Dishes** (*di-ches*; louças): **bowls** (*bouls*; tigelas), **cups** (*câps;/* xícaras), **glasses** (*glés-es*; copos), **plates** (*pleits*; pratos)

✔ Outros itens: **placemats** (*pleis-méts*/ jogo americano/ toalhinhas individuais), **salt and pepper shakers** (*salt end péper cheik-ers*/ saleiro e pimenteira), **tablecloth** (*tei-bl cloth*/ toalha de mesa)

Para Comer em um Restaurante

Dining out (*dain-ing aut*; comer fora) te oferece uma infinidade de opções de culinária internacional e a oportunidade de conhecer a comida e a cultura dos Estados Unidos. Esta seção lhe permitirá ficar confiante quando alguém disser **Let's go out to eat!** (*léts gou aut tchu i-it*; Vamos sair para comer!).

Inclusive durante a semana os restaurantes da moda podem estar cheios. Portanto, se quiser uma mesa, ligue com antecedência e faça uma reserva. Caso contrário, prepare-se para esperar. Esta é uma frase muito importante:

I'd like to make a reservation for three people for tomorrow night. (*aid laik tchu meika re-ser-vei--chion fór thri pi-pou for tu-mó-rou nait*; Eu gostaria de fazer uma reserva para três pessoas para amanhã à noite.)

Se não tiver um anfitrião ou anfitriã, você verá um sinal que diz **Please seat yourself** (*plis-is si-it iór-self*; Sente-se, por favor). Sente-se na mesa que desejar.

Em uma lanchonete ou em um bar nos Estados Unidos, não é agradável sentar em uma mesa que esteja ocupada (mesmo que não esteja cheia) mesmo se for o único lugar disponível. Esse costume pode parecer um pouco ilógico, mas é assim. Algumas exceções são algumas lanchonetes de escola e empresa, onde você pode perguntar **Is this seat taken?** (*is dhis sit tei-ken*; Este lugar está ocupado?) ao ver um lugar vazio.

Capítulo 5: Apreciando uma Boa Comida e Bebida **89**

Palavras a Saber		
To seat	(*tchu si-it*)	Sentar
to wait	(*tchu ueit*)	Esperar
To dine out	(*tchu dain aut*)	Comer fora
To make a reservation	(*tchu meik a re-ser-vei-chion*)	Fazer uma reserva

Como Fazer um Pedido

Escolher algo do menu pode ser uma aventura. Em um restaurante de cozinha internacional, você já deve conhecer alguns pratos, vindos, talvez, da sua cultura (porém, é bem provável que ele seja muito, muito diferente). Por outro lado, outros pratos podem ter nomes muito originais, o que torna impossível saber de que tipo de comida se trata – a menos que você pergunte. Estas são algumas perguntas que você pode fazer, junto com outras perguntas úteis para o momento em que for pedir:

- **Excuse me. What's this?** (*éks-kius mi uát is dis*; Com licença, o que é isto?)
- **Can you tell me about this item?** (*kén iu tel me a-baut dhis ai-tem*; Você poda me explicar o que é este item?)
- **Which items are vegetarian?** (*uitsh ai-tems ar ve-dje--te-rian;* Quais são os pratos vegetarianos?)

Para quase tudo o que você pede – inclusive o prato principal – existem várias opções, como o ponto que você quer a sua carne, o tipo de batata, sopa ou salada, tipo de tempero etc. Essas são algumas das opções para que você fique preparado e saboreie a sua comida!

Guia de Conversação Inglês para Leigos

Carne

Algumas das opções são:

- **Beef** (*biif*; bife)
- **Lamb** (*lémb*; cordeiro)
- **Pork** (*pórk*; porco)

O garçom pode perguntar **How do you want your meat?** (*hau du iu uant iór mi-it*/ Como você deseja a sua carne?) para indicar ao chefe o ponto da carne que você quer. As opções são:

- **Medium** (*mi-di-um*; médio)
- **Rare** (*rér;* mal passada)
- **Well-done** (*uél don*; bem passada)

Se quiser algo intermediário, peça **medium-rare** (*mi-di-um rér*; um pouco mal passada) ou **medium-well** (*mi-di-um uél*; entre a passada e a bem passada).

Batatas

Estas são algumas das opções para sua **potato** (*po-tei-tou*; batata):

- **Baked potato** (*beikd po-tei-tou*; batata assada), que é servida com um dos seguintes recheios (porém se não conseguir decidir, escolha os três!): **sour cream** (*saur cri-im*; nata); **butter** (*bâ-ter*; manteiga) ou **chives** (*chaivs*; cebolinha).
- **French fries** (*french frais*; batatas fritas)
- **Mashed potatos** (*mécht po-tei-tous*; purê de batatas)

Temperos para a salada

Você pode pedir que lhe deem para provar um pouco se não conhecer os seguintes **salad dressings** (*sa-lad drés-sins*; temperos de salada):

Capítulo 5: Apreciando uma Boa Comida e Bebida   91

- **Blue cheese** (*blu tchi-is*; queijo Roquefort)
- **French** (*French*; francês)
- **Italian** (*i-ta-lian*; italiano)
- **Ranch** (*ranch*; ranch)
- **Thousand Island** (*thau-zand ai-land*; Mil ilhas)

Refrescos ou bebidas

A água em qualquer restaurante dos Estados Unidos é potável. É muito provável que a seleção de bebidas seja muito parecida com a do seu país. Por exemplo, você pode pedir:

- **Milk** (*milk*; leite)
- **Soda** (*sou-da*; refrigerante)
- **Hot coffee or tea** (*hot có-fi ór ti*; café ou chá)
- **Alcoholic beverages** (*al-co-hó-lic bev-ridjes*; bebidas alcoólicas)

Falando com o garçom

Um garçom experiente não vai muitas vezes à sua mesa durante a refeição, mas sempre estará alerta caso você precise dele. Se este for o caso, chamar sua atenção não deve ser muito difícil. Assim que ele tiver chegado, você pode dizer **Excuse me. May I please have...?** (*éks-kius mi mei ai plis hév*; Com licença, pode me trazer, por favor...?), seguido de um ou mais artigos desta lista:

- **More water** (*mor uótâr*; mais água)
- **Some coffee** (*som co-fi*; um pouco de café)
- **Another glass of wine** (*a-nó-dher glés óf uain*; outra taça de vinho)
- **The check** (*dhe tchék*; a conta)

Guia de Conversação Inglês para Leigos

Pronto para a Sobremesa e...
"A conta por favor"

Um pouco antes de terminar de comer, o garçom irá se aproximar para tirar os pratos e perguntar se você vai querer sobremesa ou café. Se você quiser algo doce no final da refeição, estas **desserts** (*di-sârts*; sobremesas) são para você:

- **Cake** (*keik*; bolo)
- **Cookies** (*cuk-is*; biscoitos)
- **Custard** (*câs-tard*; creme)
- **Ice cream** (*ais cri-im*; sorvete)
- **Pie** (*pai*; torta)
- **Sherbet** (*cher-bet*; doce gelado típico)

Quando tiver terminado sua sobremesa e seu café, o garçom levará para você **the bill** (*dhe bill*; a conta) ou **the check** (*dhe tchék*; conta). Isto é, a soma da sua comida e bebidas mais a **tax** (*téks*; taxa). Para evitar passar por uma situação constrangedora, ao fazer a reserva ou antes de sentar, sempre pergunte que tipo de pagamento o restaurante aceita. Alguns estabelecimentos não aceitam cheques pessoais ou cartões de crédito.

Nos Estados Unidos espera-se que deixem uma **tip** (*tip*; gorjeta) ou **gratuity** (*gra- tu-i-ti*; gorjeta de cortesia). Costuma-se deixar entre 15 e 20% do total do imposto. Porém, você pode deixar mais, no caso do serviço ter sido excelente (ou menos se o caso for o contrário). Se você for com um grupo grande de pessoas, os 15 ou 20% são inclusos automaticamente.

Capítulo 5: Apreciando uma Boa Comida e Bebida 93

Nos restaurantes dos Estados Unidos, as porções geralmente são imensas. Por isso não tem nada de mal pedir para que embale para levar ou pedir uma **doggie bag** (*dó-gui bég*; Embalagem para levar comida – sacola do cachorro), inclusive nos restaurantes mais elegantes. Na verdade, antigamente as sobras eram para o cachorro, mas atualmente, para muitas pessoas o jantar de hoje é o almoço de amanhã. Duas refeições pelo preço de uma! Se você quiser levar as sobras para casa, pode dizer:

- **May I have a doggie bag?** (*mei ai hév a dó-gui bég*; Pode me trazer uma embalagem para levar o resto?)
- **I'd like to take this home.** (aid laik to teik dhis houm; Gostaria de levar isto para casa.)

Palavras a Saber

Dessert	(*di-sârt*)	Sobremesa
The bill	(*dhe bill*)	A conta
The check	(*dhe tchék*)	A conta
Tax	(*téks*)	Taxa
Gratuity	(*grã-tu-i-ti*)	Gorjeta
Doggie bag	(*dó-gui bég*)	Embalagem para levar comida

94 Guia de Conversação Inglês para Leigos

Capítulo 6

Vamos às Compras

Neste capítulo
- ▶ Compras no supermercado
- ▶ Como comprar roupas
- ▶ O tamanho adequado
- ▶ Comparando

*N*este capítulo fornecerei todas as informações de que você precisa para que suas compras tenham êxito, para que você encontre o que procura, peça ajuda e para que os tamanhos e os preços não o confundam. Portanto, pegue o seu dinheiro ou cartão de crédito e vamos às compras!

O Supermercado

Na maioria das cidades e bairros você vai encontrar pequenos **grocery stores** (*grou-se-ri stórs*; mercadinhos) conhecidos como **corner stores** (*cor-ner stórs*; lojas de esquina) ou **mom-and-pop stores** (*mom end póp stórs*; loja da mamãe e do papai). Geralmente essas lojas são negócios de família onde se encontra um pouco de tudo, embora com pouca variedade de marcas.

Quando precisar de uma variedade maior e preços melhores vá ao **supermarket** (*su*-per *mar*-ket; supermercado).

Andando pelos corredores

Estas são algumas expressões necessárias para pedir ajuda – e não se esqueça de começar com **Excuse me** (*éks-kius mi*; Com licença) ou **Pardon me** (*par-don mi*; Com licença):

- ✔ **Where can I find...?** (*uér kén ai faind*; Onde posso encontrar...?)
- ✔ **Where is/are the...?** (*uér is/ar dhe*; Onde está/ estão o/a/ os/as...?)
- ✔ **Do you sell...?** (*du iu sél*; Você vende...?)

Palavras a Saber

Shopping	(*shop-pin*)	Comprar
Shopping cart	(*shop-pin cart*)	Carrinho de supermercado
Basket	(*bas-ket*)	Cesta
aisle	(*ail*)	Corredor

Comprando frutas e verduras

Estas são algumas das frutas mais comuns que você pode encontrar no supermercado:

- ✔ **Apple** (*épl*; maçã)
- ✔ **Banana** (*ba-na-na*; banana)
- ✔ **Grapes** (*greips*; uvas)
- ✔ **Lemon** (*lé-mon*; limão)
- ✔ **Lime** (*laim*; lima)
- ✔ **Mango** (*man-gou*; manga)
- ✔ **Melon** (*me-lon*; melão)

Capítulo 6: Vamos às Compras **97**

- ✔ **Orange** (*o-ran-dj*; laranja)
- ✔ **Papaya** (*pa-pai-ya;* mamão papaia)
- ✔ **Peach** (*pi-itch*; pêssego)
- ✔ **Pear** (*pér*, pera)
- ✔ **Pineapple** (*pain-ép-pol*; abacaxi)
- ✔ **Strawberry** (*stró-bé-ri*; morango)

Estes são alguns dos vegetais mais comuns:

- ✔ **Beans** (*bi-ins*; feijões/ vagens)
- ✔ **Broccoli** (*bró-co-li*; brócolis)
- ✔ **Cabbage** (*ké-bi-dj*; repolho)
- ✔ **Carrot** (*kér-rot*; cenoura)
- ✔ **Celery** (*ce-le-ri*; aipo)
- ✔ **Cucumber** (*kiu-câm-bér*; pepino)
- ✔ **Lettuce** (*lé-tus*; alface)
- ✔ **Mushroom** (*mâsh-rum*; cogumelo)
- ✔ **Onion** (*ó-ni-on*; cebola)
- ✔ **Pea** (*pí-i*; ervilha)
- ✔ **Pepper** (*pé-per*, pimento)
- ✔ **Potato** (*po-tei-tou*; batata)
- ✔ **Squash** (*skuash*; abobrinha)
- ✔ **Tomato** (tecnicamente é uma fruta) (*to-mei-tou*; tomate)

O uso de substantivos quantitativos e numéricos

Algumas coisas podem ser descritas com números. Isto é, existem substantivos que podem ser contados. Por exemplo, a palavra maçã é um substantivo numérico, porque podemos dizer **one apple** (*uan épol*; uma maçã) ou **two apples** (*tchu épols*; duas maçãs).

Porém, há ocasiões em que não se pode usar números para descrever ou contar coisas como o **salt** (*salt*; sal) e **lettuce** (*le-tus*; alface). Por exemplo, não se diz **two salts** (*tchu salts*; dois sais) ou **three lettuces** (*thri le-tus-es*; três alfaces). Esses são substantivos quantitativos.

98 Guia de Conversação Inglês para Leigos

Para expressar a quantidade dos substantivos quantitativos, use palavras como **some** (*sãm*; algum), **any** (*e-ni*; algum**), a little** (*a litl*; um pouco), **a lot of** (*a lót óf*; muito de); mas não **a** ou **an** (*a/én*; um/uma). Quando quiser indicar a quantidade exata de um substantivo quantitativo, você tem que acrescentar uma palavra numérica. Por exemplo, não se diz **four milks** (*for milks*; quatro leites); se diz **four glasses of milk** (*for glés-es óf milk*; quatro copos de leite). Não se conta o leite, mas sim os copos.

Observe que na frase **four glasses of milk**, a preposição **of** está entre o substantivo numérico e o quantitativo; a preposição é necessária para "unir" os dois substantivos neste tipo de frase. A seguir, temos mais exemplos:

- **A can of soup.** (*a ken óf su-up*; Uma lata de sopa.)
- **Three boxes of cereal.** (thri *bóks-es of ci-ri-al*; Três caixas de cereal.)
- **Two bottles of soda.** (tchu *bot*-tols óf *sou*-da; Duas garrafas de refrigerante.)

A tabela seguinte mostra mais substantivos quantitativos relacionados à comida, junto com as palavras numéricas que podem ser usadas para indicar quantidades específicas:

Substantivos Quantitativos	*Palavras numéricas*
Milk (*milk;/* leite)	**Quart/gallon** (*cart/ga-lon*; quarto/galão)
Butter (*bât-ter*; manteiga)	**Carton/sticks** (*car-ton/stiks*; caixa/barra)
Yogurt (*ió-gurt*; iogurte)	**Carton/pint** (*car-ton/paint*; caixa/um pouco menos de meio litro)
Wine (*uain*; vinho)	**Bottle** (*bot-tol*; garrafa)

Capítulo 6: Vamos às Compras *99*

Beer (*bi-ar*; cerveja)	**Can** (*ken*; lata)
Coffee (*có-fi*; café)	**Pound/cup** (*paund/câp*; aproximadamente meio quilo/xícara)
Tea (*ti-i*; chá)	**Box/cup** (*bóks/câp*; caixa/xícara)
Salt (*salt*; sal)	**Grain/box** (*grein/bóks*; gramas/caixa)
Celery (*cé-le-ri*; aipo)	**Stalk** (*stolk*; talo)
Lettuce (*le-tus*; alface)	**Head** (*héd*; cabeça)

No caixa

Quando já tiver **checked off** (*chékt óf*; verificado) tudo em sua **shopping list** (*shop-pin list*; lista de compras), dirija-se à **checkout line** (*chék-aut lain*; fila do caixa) ou **cash register** (*késh re-gis-ter*; caixa) para pagar suas compras. Geralmente você mesmo tira sua compra do carrinho e coloca no **counter** (*caun-ter*; balcão).

Quando chegar a sua vez de pagar, a pessoa que coloca seus produtos nas sacolas pode perguntar que tipo de sacola você quer e se precisa de ajuda para levar as sacolas até seu carro. Estas são algumas expressões que você pode escutar na fila:

- ✔ **Paper or plastic?** (*pei-per ór plés-tic*; Papel ou plástico?)
- ✔ **Do you want help out?** (*du iu uant hélp aut*; Você precisa de ajuda com as suas sacolas?)
- ✔ **Do you want cash back?** (*du iu uant késh bék*; Você quer retirar dinheiro da sua conta?)

100 Guia de Conversação Inglês para Leigos

Palavras a Saber

Checkout line	(chék-aut lain)	Fila do caixa
Cash register	(késh re-gis-ter)	Caixa
Shopping list	(shop-pin list)	Lista de compras
Item	(aitem)	Item
Cash back	(késh bék)	Troca de dinheiro

Meu Tamanho Exato: Comprando Roupa

Mesmo que você compre em **boutiques** *(bu-tiks*; butiques), **gift shops** *(gift chóps*; loja de presentes) ou **malls** *(móls*; shopping centers), o dia de compras será mais gratificante e divertido se você conhecer algumas dicas e expressões úteis.

Só estou olhando

Nas **department stores** *(di-part-ment stórs;/* lojas de departamentos) grandes, pode-se passar semanas (bom, minutos) sem ver um vendedor. Porém, se tiver sorte de encontrá-lo, você pode perguntar **Excuse me, can you help me**? *(éks-kius mi Ken iu hélp mi*; Com licença, você pode me ajudar?).

Nas lojas menores, acontece o contrário, o vendedor o abordará imediatamente e lhe fará uma das seguintes perguntas: **May I help you?** *(mei ai hélp iu*; Posso ajudá-lo?) ou **Do you need help finding anything?** *(du iu ni-id hélp faind-in e-ni-thing*; Precisa de ajuda para encontrar algo?). Talvez você só queira **browse** *(braus*; olhar por curiosidade). Neste caso apenas diga: **No thanks. I'm just looking** *(nou thenks aim djâst luk-in*; Não, obrigado. Eu só estou olhando).

Capítulo 6: Vamos às Compras *101*

A roupa

Você pode encontrar roupa no estilo country em todo o mundo. As palavras **jeans** (*djins*) e **T-shirt** (*ti-chârt*) são internacionais. A seguir, apresento uma lista com os nomes de vários itens de roupa e diferentes tipos de sapatos.

Estes são os nomes de **women's clothes** (*uí-mens clous*; roupas de mulher):

- **Dress** (*drés*; vestido)
- **Blouse** (*blaus*; blusa)
- **Skirt** (*skârt*; saia)
- **Suit** (*sut*; tailleur)
- **Pantsuit** (*pént-sut*; terninho)
- **Nightgown** (*nait-gaun*; camisola)
- **Underwear** (*ân-der-uér*; roupa íntima)

Utilize os seguintes termos para **men's clothes** (*mens clous*; roupas de homem):

- **Dress shirt** (*drés shârt*; camisa social)
- **Sport shirt** (*sport shârt*; camisa esporte)
- **Sport jacket** (*sport dja-ket*; casaco esporte)
- **Tie** (*tai;* gravata)
- **Undershirt** (*ân-der-shârt*; camiseta)

Você pode usar estes termos para falar de roupa, tanto para homem quanto para mulher:

- **Pants** (*pénts*; calças)
- **Slacks** (*sléks*; calça)
- **Jeans** (*djins;* calça jeans)
- **Sweater** (*sué-ter*; agasalho)
- **Jacket** (*dja-ket*; jaqueta)
- **Coat** (*cout*; casaco)
- **Suit** (*sut*; terno)

102 Guia de Conversação Inglês para Leigos

- ✔ **Shirt** (*shârt*; camisa)
- ✔ **Shorts** (*chórts*; bermuda)
- ✔ **Swimsuit** (*suim-sut*; roupa de banho)
- ✔ **Sweatshirt** (*suét-chârt*; moletom)
- ✔ **Robe** (*roub*; roupão)
- ✔ **Pajamas** (*pa-dja-mas*; pijama)

No que se refere a sapatos, você encontrará estes estilos em qualquer sapataria:

- ✔ **Dress shoes** (*drés shus*; sapatos sociais)
- ✔ **High heels** (*hai hi-ils*; sapatos de salto alto)
- ✔ **Loafers** (*Lou-fers*; mocassin)
- ✔ **Pumps** (*pâmps*; escarpim)
- ✔ **Sandals** (*san-dals*; sandálias)
- ✔ **Slippers** (*sli-pers*; chinelos ou pantufas)

Existem muitos nomes para sapatos esportivos, dependendo do esporte que você faz. Até mesmo os falantes de inglês nem sempre sabem qual é o nome correto, portanto, não se preocupe se você não souber. Os sapatos de ginástica para atividades ao ar livre são conhecidos como **sneakers** (*sni-i-kers*; sapatos de ginástica) ou **tennis shoes** (*te-nis chus*; tênis). As pessoas ainda utilizam esses nomes, mas agora também usam termos como **athletics shoes** (*a-thle-tic chus*; tênis esportivos), **running shoes** (*rân-nin chus*; tênis de corrida) e **trainers shoes** (*trein-ers chus*; tênis de passeio), entre outros.

O tamanho adequado

Se você for homem (ou vai comprar algo para homem), não vai ter muito problema para entender os tamanhos ou encontrar algo que caia bem. Mas para as mulheres esse processo é mais complicado, porque, por alguma razão estranha, **women's sizes** (*ui-mens sai-ses*; tamanhos femininos) variam muito dependendo do fabricante. Portanto, se você

Capítulo 6: Vamos às Compras   **103**

for mulher, vai querer **to try on** (*tchu trai on*/ provar) cada peça para ver se fica bem. O tamanho "grande" em uma marca pode ser "pequeno" em outra!

Esta é uma tabela de conversões de tamanhos dos Estados Unidos, Europa e Brasil para roupa de mulher:

Estados Unidos	6	8	10	12	14	16	18	20
Brasil/Europa	34	36	38	40	42	44	46	48

Para tamanhos de casacos e paletós para homens, utilize a seguinte tabela de conversões:

Estados Unidos	36	38	40	42	44	46	48	50
Brasil/Europa	46	48	50	52	54	56	58	60

Provando a roupa

Uma vez que você viu as **clothing racks** (*cluo-thing réks*, prateleiras de roupa) e encontrou algo de que gostou, vai querer experimentar no **dressing room** (*drés-sin ru-um*; provador). Estas são algumas frases que podem ajudá-lo:

- ✔ **May I try this on?** (*mei ai trai dhis on*; Posso provar este?)
- ✔ **Where are the dressing rooms?** (*uér ar dhe dré-sin ru-ums*; Onde estão os provadores?)

O vendedor pode fazer uma das seguintes perguntas para você:

- ✔ **Are you ready to try those on?** (*ar iu ré-di tchu trai dhous on*; Você está pronto para provar?)
- ✔ **Shall I put those in a dressing room for you?** (*chal ai put dhous in a dré-sin ru-um fór iu*; Posso colocar isto no provador?)

104 Guia de Conversação Inglês para Leigos

Do Pequeno ao Grande: Uso do Comparativo

Digamos que você provou uma camiseta, mas está apertada, e você precisa de um tamanho maior, Para pedir um tamanho menor, você vai precisar usar o **comparative** (*com-pér-a-tiv*; comparativo). O **comparative** é um adjetivo que se usa para comparar duas coisas. Ele é formado de acordo com o número de sílabas do adjetivo, da seguinte maneira:

- ✔ Para um adjetivo com uma ou duas sílabas, acrescente **–er**. Por exemplo: **big** → **bigger** (*big/bi-guer*; grande/maior); **small**→ **smaller** (*smol/smó-ler;* pequeno/menor); **fancy** →**fancier** (*fan-ci/fân-ci-er*; elegante/mais elegante).
- ✔ Para um adjetivo de três ou mais sílabas, use a palavra **more** (*mór*; mais) ou **less** (*lés*; menos) antes do adjetivo. Por exemplo: **more casual** (*mór ké-ju-al*; mais casual); **less casual** (*lés ké-ju-al*; menos casual); **more valuable** (*mór va-lua-bol*; mais valioso); **less valuable** (*lés va-lua-bol*; menos valioso).

Estas são algumas expressões com comparativos:

- ✔ **Do you have this in larger size?** (*du iu hév dhis in lar-djer saiz*; Você tem este em um tamanho maior?)
- ✔ **Do you have anything less expensive?** (*du iu hév e-ni-thing lés eks-pen-siv;*/ Voce tem algo mais barato?)

Só o melhor: o uso de superlativo

O **superlative** (*su-per-la-tiv*; superlativo) expressa o nível máximo de algo. Como o **comparative**, o **superlative** é um adjetivo, e se forma de acordo com o número de sílabas do adjetivo da seguinte maneira:

- ✔ Para os adjetivos com uma ou duas sílabas, acrescente **–est**. Por exemplo: **big**→**biggest** (*big/bi-guest*; grande/ o maior); **small**→**smallest** (*smol-smol-est*; pequeno/ o menor); **fancy**→**fanciest** (*fan-ci/ fan-ci-est*; elegante/ o mais elegante).

Capítulo 6: Vamos às Compras   *105*

✔ Para os adjetivos com três ou mais sílabas, usa-se a palavra **most** (*moust*; o/a mais) ou **least** (*li-ist*; o/a menos) antes do adjetivo. Por exemplo: **most casual** (*moust ca-ju-al*; o/a mais casual); **least casual** (*li-is ca-ju-al*; o/a menos casual); **most expensive** (*moust eks-pen-siv*; o/a mais caro/a); **less expensive** (*lés eks-pen-siv*; o/a menos caro/a).

Existem algumas exceções nas regras dos comparativos e superlativos. Por exemplo, se diz **most patient** (*moust pei-chi-ent*; o/a mais paciente) em vez de **patienter**. E, em alguns casos – como nestas palavras de uso frequente – as formas de **comparative** e **superlative** são completamente irregulares, portanto você terá que memorizá-las:

✔ **Good** (*gud*; bom), **better** (*bé-ter*; melhor) e **best** (*Best*; o/a melhor). Por exemplo: **This coat is better quality than that coat** (*dhis cout is bé-ter qua-li-ti dan dhét cout*/ Este casaco tem melhor qualidade do que esse.)
✔ **Bad** (*béd*; mau), **worse** (*uors*; pior) e **worst** (uârst; pior/a pior / péssimo). Por exemplo: **This store has the best price, but the worst service!** (*dhis stór hés dhe best prais bât dhe* uârst *sér-vi-ce*; Esta loja tem o melhor preço, mas o pior serviço!)

Palavras a Saber

Comparative	(*com-pér-a-tiv*)	Comparativo
Superlative	(*su-per-la-tiv*)	Superlativo
More	(*mór*)	Mais
Less	(*lés*)	Menos
Most	(*moust*)	o/a mais
least	(*li-ist*)	o/a menos

106   Guia de Conversação Inglês para Leigos

Capítulo 7

O Tempo Livre

Neste capítulo

- ▶ O que fazer? Aonde ir?
- ▶ Peças de teatro, filmes ou shows
- ▶ Bares e lugares para sair à noite
- ▶ Esportes e atividades recreativas
- ▶ Atividades ao ar livre

*E*ste capítulo fala sobre passatempo e diversão - seja no cinema, em uma festa, praticando algum esporte ou desfrutando a natureza.

Como se Informar das Atividades de um Lugar

Quer saber quais atividades o lugar onde você está oferece? Estas são algumas formas de se inteirar dos **events** (*i-vents*; eventos) que têm na cidade:

- ✔ Peça informações no **information center** (*in-for-mei--chion cen-ter*; centro de informações).
- ✔ Ligue ou vá à **Chamber of Commerce** (cheim-ber óf co-mers; câmara do comércio).
- ✔ Consulte um **guidebook** (*gaid-buk*; guia de viagens).

108 **Guia de Conversação Inglês para Leigos**

- ✔ Consulte **information brochures** (*in-for-mei-chion broch-urs;* folhetos informativos)
- ✔ Veja a **calendar section** (*ca-len-dar séc-chion*; seção de eventos) do **local newspaper** (*lou-cal nius-pei-per*; jornal local).
- ✔ Busque os pontos de interesse em um **local map** (*lou--cal mép*; mapa local).
- ✔ Procure **flyers** (*flaiers*; folhetos) e **posters** (*pous-ters*; cartazes) sobre os espetáculos futuros.

Você pode usar as seguintes frases para se informar dos eventos locais:

- ✔ **Can you recommend a good art gallery?** (*kén iu re--co-mend a gud art ga-le-ri*; Você pode me recomendar uma boa galeria de arte?)
- ✔ **What should I see while I'm here?** (*uát chuld ai si-I uail aim hir*; O que eu posso assistir enquanto estou aqui?)
- ✔ **Are there any museums here?** (*ar dhér e-ni miu-si-ums hir*? Há museus por aqui?)
- ✔ **Where can I find tourist information?** (*uér kén ai faind tu-rist in-for-mei-chion*; Onde posso encontrar informações turísticas?)

Palavras a Saber

Event	(*i-vent*)	Evento
Attraction	(*a-trak-chion*)	Atração
Information	(*in-for-mei-chion*)	Informação
nightlife	(*nait-laif*)	Vida noturna

Capítulo 7: O Tempo Livre *109*

Como Obter Informação

Alguma vez já fez planos para ir a algum lugar ou assistir a um espetáculo, e ao chegar, o local está fechado? Com algumas frases simples, você pode se informar dos horários dos lugares, datas dos espetáculos e horário dos filmes. Use as seguintes frases para obter informações e poder fazer seus planos:

- **What are your hours?** (*uát ar iór aurs*; Qual é o horário?)
- **What days are you open?** (*uát deis ar iu o-pen*; Quais dias vocês estão abertos?)
- **When does the event take place?** (*uen dãs dhe i-vent teik pleis*; Quando é o espetáculo?)
- **How much does it cost?** (*hau mãtch dãsit cóst*; Quanto custa?)
- **Is there an admission fee?** (*is dhér an ad-mi-chion fi-i*; Há alguma taxa de entrada?
- **What movie are playing today?** (*uát mu-vis ar plei-in tu-dei*; Que filme está passando hoje?)
- **What time does the movie start?** (*uát taim dãs dhe mu-vi start*; Que horas começa o filme?)
- **Is there a matinee?** (*is dhér a ma-ti-nê*; Tem matinê?)

Convidando

Se achar um espetáculo interessante para assistir e quiser convidar alguém, você precisa conhecer algumas frases curtas para fazer o convite. Pratique com as seguintes expressões:

- **Would you like to see a movie with me?** (*u-ud iu laik tchu si-I a mu-vi uith mi*; Você gostaria de assistir a um filme comigo?)
- **Do you like plays?** (*du iu laik pleis*; Você gosta de peças de teatro?)

110 **Guia de Conversação Inglês para Leigos**

- ✔ **I'm going to the concert tomorrow. Do you want to come?** (*aim go-ing tchu dhe con-cert tchu-mó-rou du iu uant tchu câm*; Eu vou ao show amanhã. Você quer vir?)
- ✔ **Let's go hear some live music.** (*léts gou hier som laiv miu-sic*; Vamos escutar música ao vivo.)

Lugares para Sair à Noite

A melhor maneira de encontrar bons **nightclubs** (*nait-clâbs*; lugares para sair à noite) e **bars** (*bars*; bares) é perguntando. Cada um tem seu favorito, mas com algumas perguntas, você pode conseguir informações suficientes para tomar sua própria decisão.

- ✔ **Do you know any good nightclub?** (*du iu nou e-ni gud nait clâb*; Você conhece algum lugar para sair à noite bom?)
- ✔ **What kind of bar is it?** (*uát kaind óf bar is it*; Que tipo de bar é este?)
- ✔ **Is there live music?** (*is dhér laivmiu-sic*; Tem música ao vivo?)
- ✔ **Does the club have dancing?** (*dâs dhe clâb hév den--sin*; Dá para dançar neste lugar?)

Palavras a Saber		
alcohol	(*al-co-hol*)	Álcool
Minor	(*mai-nor*)	Menor
Underage	(*ân-der-eidj*)	Menor de idade
Smoke	(*smouk*)	Fumar
ashtray	(*éch-trei*)	cinzeiro

Capítulo 7: O Tempo Livre **111**

O que Fazer no Tempo Livre?

Quando se conhece alguém pela primeira vez, é comum que a conversa gire em torno de passatempos e atividades favoritas. É bem provável que você ouça uma das seguintes perguntas:

- **What do you do in your spare time?** (*uát du iu du in iór spér taim*; O que você faz no seu tempo livre?)
- **What kinds of sports do you like?** (*uót kains óf sport du iu laik*; Que tipo de esportes você gosta?)
- **What do you do for fun?** (*uót du iu du fór fãn*; O que você faz para divertir-se?)

Você pode responder essas perguntas de diversas formas. Estes são alguns exemplos:

- **I like to work in my garden.** (*ai laik tchu uork in mai gar-den*; Gosto de mexer no meu jardim.)
- **I enjoy playing chess.** (*ai en-djói plei-in tchés*; Gosto de jogar xadrez.)
- **I go jogging.** (*ai gou djó-guin*; Vou correr.)
- **I'm into surfing** (*aim in-tchu sâr-fin*; Gosto de surfar.) **I'm into** é uma expressão idiomática comum que significa "gosto muito" ou "estou muito envolvido em" algo.

O que eu gosto de fazer

Existem várias estruturas de orações ligeiramente diferentes para falar das coisas que você gosta de fazer no seu tempo livre. Observe as seguintes "fórmulas":

- Fórmula 1: **I + verb** (Eu + verbo)

  I sew (*ai sou*; Eu costuro)

  I play volleyball. (*ai plei vo-li-bol*; Eu jogo volêi.)
- Fórmula 2: **I like + infinitive or gerund** (Eu gosto + infinitivo ou gerúndio do verbo)

112 Guia de Conversação Inglês para Leigos

> **I like to read**. (*ai laik tchu ri-id*; Gosto de ler.)
>
> **I like reading.** (*ai laik ri-id-in*; Gosto de ler.)
>
> ✔ Fórmula 3: **I enjoy + gerund** (Eu gosto + gerúndio do verbo)
>
> **I enjoy camping.** (*ai en-djói kemp-in*; Gosto de acampar.)
>
> **I enjoy playing hockey.** (*ai en-djói plei-in hó-kei*; Gosto de jogar jockey.)

O verbo do jogo: to play

As atividades que envolvem uma **competition** (*com-pe-ti-chion*; competição) – e geralmente algum tipo de **ball** (*ból*; bola) utilizam o verbo **to play** (*tchu plei;* jogar). Por exemplo:

✔ **I like to play tennis**. (*ai laik tchu plei te-nis*; Gosto de jogar tênis.)

✔ **Do you play golf**? (*du iu plei golf*; Você joga golfe?)

✔ **Do you want to play a game of basketball?** (*du iu uant tchu plei a gueim óf béskt-bol*; Você quer jogar uma partida de basquete?)

Uma exceção é **bowling** (*bo-ul-ling;* boliche); não se diz **play bowling** (*plei bo-ul-ling*; jogar boliche) mesmo que envolva uma bola. Mas se usa o verbo **play** com **cards** (*cards;* cartas), **chess** (*tchés*; xadrez), **board games** (*bórd gueims*; jogos de mesa) e **pool** (*pu-ul*; bilhar).

Palavras a Saber

Pastime	(*pés-taim*)	Passatempo
Leisure	(*li-jâr*)	Tempo livre
Recreation	(*re-cri-ei-chion*)	Recreação

(continua)

Sports	(spórts)	Esportes
To play	(tchu plei)	Jogar
To win	(tchu uin)	Ganhar
To lose	(tchu lu-us)	Perder
Game	(gueim)	Jogo
Competition	(com-pe-ti-chion)	Competição
Board game	(bord gueim)	Jogo de mesa

Esportes

Você é um **sports fan** (*spórts fãn*; fã de esportes)? Mesmo jogando em um **team** (*ti-im*/ equipe) ou sendo um **spectator** (*spec-tei-tor*; espectador),você pode desfrutar de uma grande variedade de esportes o ano todo na televisão ou em um **stadium** (*stei-di-um*; estádio) ou **ballpark** (*bol-park*; campo de futebol ou beisebol).

"Vai, vai, foi!": o beisebol

Quando o árbitro grita **Play Ball**! (*plei ból*; Vamos Jogar!) se faz o primeiro **pitch** (*pitch*; arremesso de lançamento).

Os americanos jogam beisebol desde 1800. Para que você possa desfrutar plenamente deste popular jogo, a seguir os termos comuns do beisebol:

- ✔ **Bat** (*bét*; taco)
- ✔ **Batter** (*bat-ter*; batedor)
- ✔ **Catcher** (*kétcher*; apanhador)
- ✔ **Fly ball** (*flai ból*; arremesso alto)

114 Guia de Conversação Inglês para Leigos

- **Glove** (*glov*; luva)
- **Home run** (*ho-um rân*; fora do campo)
- **Mitt** (*mit*; luva de boxe)
- **Strike** (*straik*; arremesso que chega ao batedor no espaço entre o joelho e as axilas)

A diferença entre futebol americano e o futebol "soccer"

Quase todo o mundo chama de futebol os jogos da Copa do Mundo, mas os americanos chamam de **soccer**. Nos Estados Unidos, o **football** (*fut-bol*; futebol americano) é um jogo completamente diferente. O futebol americano é jogado com uma bola oval e cor de café, com a qual os jogadores cruzam o campo para ganhar um **touchdown** (*tâtch--daun*; finalização).

Aqui está o vocabulário do futebol:

- **End zone** (*end zo-um*; zona de finalização)
- **Helmets** (*hél-mets*; capacetes)
- **Body pads** (*bódi péds*; equipamento de proteção)
- **Goal** (*goul*; gol)
- **First down** (*fârst daun*; primeira queda)
- **touchdown** (*tâtch-daun*; finalização)
- **tackle** (*tak-el*; ataque)
- **pass** (*pés*; passé)
- **player** (*plei-er*; jogador)
- **team** (*ti-im*; time)
- **fan** (*fân*; admirador)
- **stadium** (*stei-di-um*; estádio)

A natureza

Os Estados Unidos são um país com imensos espaços abertos e **natural beauty** (*né-tchu-ral biu-ti*; beleza natural) espetacular. Se você gosta do contato com a natureza, encontrará paisagens extraordinárias de costa a cos-

Capítulo 7: O Tempo Livre   *115*

ta. Estas são algumas maravilhas geográficas que você pode explorar:

- **mountains** (*maun-tens*; montanhas)
- **valleys** (*va-li-is;* vales)
- **lakes** (*leiks;* lagos)
- **rivers** (*ri-vers*; rios)
- **waterfalls** (*ua-ter-fóls*; cascatas)
- **deserts** (*dé-serts*; desertos)
- **Forest** (*fórests*; florestas)
- **Coastline** (*co-ust-lain*; litoral)
- **Seashores** (*si-ichórs;* costas)
- **Beaches** (*bi-ich-es*; praias)

Esportes de inverno e verão

Se você gosta de sentir o ar frio e seco de uma paisagem com neve, talvez queira ir às montanhas e passar o dia praticando algumas das seguintes atividades:

- **Cross-country skiing** (*crós cân-tri ski-ing*; esqui cross-country)
- **Downhill skiing** (*daun-hil ski-in/ esqui downhill*; descida livre)
- **Ice skating** (*ais skeit-in*; patinação no gelo)
- **Snowboarding** (*snou-bór-ding*; snowboarding)

Quando chega o calor, você pode ir para as praias, rios e lagos. Se você quiser apenas descansar, pode **sunbathe** (*sãn-beidh*; tomar sol) na **sand** (*send*; areia). Ou pode entrar na água e praticar alguma destas atividades:

- **River rafting** (*ri-ver raf-ting*; rafting)
- **Sailing** (*sei-ling*; navegar de barco a vela)

116 Guia de Conversação Inglês para Leigos

- **Snorkeling** (*snor-kel-ing*; mergulhar)
- **Water skiing** (*ua-ter ski-ing*; esqui aquático)

Acampamento

Camping (*kém-ping*; acampar) e **backpacking** (*bék-pék-ing*; viajar como mochileiro) são duas formas maravilhosas de **get away from it all** (*guét a-uei from it ol*; se livrar de tudo); estes são alguns dos **camping gear** (*kém-ping guiâr*; equipamento para acampar) básico que é necessário levar:

- **Backpack** (*bék-pék*; mochila)
- **Camp stove** (*camp stouv*; fogão de acampamento)
- **Firewood** (*fair-u-ud*; lenha)
- **Flashlight** (*flésh-lait*; lanterna)
- **Lantern** (*lan-tern*; lanterna)
- **Matches** (*mét-ches*; fósforos)
- **Sleeping bag** (*sli-ipin bég*; saco de dormir)
- **Tent** (*tent*; barraca)

Não esqueça o **bug repellant** (*bãg ri-pe-lent*; repelente de insetos) e **sunscreen** (*sãn-skrin*; protetor solar) ou voltará das suas férias picado e queimado – e talvez precise de outras férias para descansar!

Siga o caminho

Nos Estados Unidos, existem quilômetros de **hiking trails** (*haik-ing treils*; trilhas de caminhada) abertas o ano todo. O **Appalash Trail** (*a-pal-ach treil*) no leste dos Estados Unidos e o **Pacific Crest Trail** (*pa-ci-fic crést treil*), que vai do México até o estado de Washington, são dois dos caminhos mais longos.

Antes de começar a sua **trek** (*trék*; jornada) consiga informações sobre a topografia do lugar, **altitude** (*al-ti-tud*; altitude), e a dificuldade da trilha. As perguntas a seguir podem ajudá-lo a decidir se é um bom dia para fazer a caminhada.

Capítulo 7: O Tempo Livre *117*

- ✔ **Where can I get a topographical map?** (*uér ken ai guét a to-po-gra-fical mép*; Onde posso conseguir um mapa topográfico?
- ✔ **How difficult is this trail?** (*hau di-fi-cult is dhis treil*; Qual é a dificuldade desta trilha?
- ✔ **How long does it take to hike this trail?** (*hau long dãs it teik tchu haik dhis treil*; Quanto tempo leva para fazer esta trilha?)
- ✔ **Are there any dangerous animals on the trail?** (*ar dhér e-ni dan-dje-rãs é-ni-mals on dhe treil*; Existem animais perigosos na trilha?)

Agora sim, você está pronto para colocar suas ***hiking boots*** (*haik-ing bu-uts*; botas de caminhada) e sua mochila, levar sua **water bottle** (*ua-ter bo-tl*; garrafa de água), pegar seu mapa ou **compass** (*com-pas*; bússola) e seguir caminho.

Quando estamos ao ar livre, temos a oportunidade de ter um contato muito mais próximo com a **wildlife** (*uaild laif*; vida selvagem) – porém, nem sempre é recomendável ter um contato muito próximo. Estes são alguns dos nomes das criaturas que você pode encontrar **in the wild** (*in dhe uaild*; na selva), que na verdade é onde eles vivem:

- ✔ **Bear** (*bér*; urso)
- ✔ **Beaver** (*bi-i-ver*; castor)
- ✔ **Coyote** (*koi-iot*; coiote)
- ✔ **Deer** (*di-ir*; veado)
- ✔ **Fox** (*fóks*; raposa)
- ✔ **Frog** (*fróg*; sapo)
- ✔ **Moose** (*mu-us;* alce)
- ✔ **Mosquito** (*mo-ski-to*; mosquito)
- ✔ **Mountain Lion** (*maun-tein lai-on*; puma)
- ✔ **Raccoon** (*ra-cu-un*; guaxinim)
- ✔ **Snake** (*sneik*; cobra)
- ✔ **Squirrel** (*squi-rl*; esquilo)
- ✔ **Wolf** (*uolf*/; lobo)

118 Guia de Conversação Inglês para Leigos

Se me deparasse com um animal perigoso, meu primeiro impulso seria "correr como uma louca", mas isto é a pior coisa que poderia fazer! Para fazer uma visita segura e sem contratempos a qualquer parque natural, consulte um **park ranger** (*park ren-djer*; guarda florestal) ou um guia de informações sobre como agir no caso de encontrar um animal potencialmente perigoso.

A **plant life** (*plént laif*; flora) nos parques naturais e em todos os Estados Unidos é muito rica e variada – estes são alguns exemplos:

- **Desert cactus** (*de-sert cac-tus;* cactus)
- **Tall grasses** (*tol grés-ses;* gramíneas)
- **Redwood trees** (*réd-u-ud tri-is;* árvores gigantes)
- **Tropical rainforests** (*tro-pi-cal rein-for-ests*; selvas tropicais)
- **Seaweed** (*si-iu-id*; algas)
- **Woods** (*u-uds*; bosques)
- **Ferns** (*fãrns*; samambaias)
- **Meadows** (*mé-dous;* prado)
- **Wildflowers** (*uaild-fla-uers*; flores silvestres)

Você já...? Passatempos

Podemos descobrir várias coisas interessantes quando ouvimos as experiências das pessoas; e você pode melhorar seu inglês se falar das suas! Para falar de modo genérico sobre algo que aconteceu no seu passado (sem fazer referência a uma época específica) use o **present perfect tense** (*pré-sent per-fect tens*; presente perfeito). Você pode iniciar uma conversa perguntando **Have you ever...?** (*héviu éver*; Você já...?)

Capítulo 7: O Tempo Livre *119*

Estes são alguns exemplos:

> ✔ **Have you ever been to Yellowstone?** (*hév iu é-ver bi-in tchu ié-lou-ston*; Você já esteve em Yellowstone?)
> ✔ **Have you ever seen a whale?** (*hév iu é-ver si-in a hueil*; Alguma vez você já viu uma baleia?)
> ✔ **Have you ever climbed a mountain?** (*hév iu é-ver claimd a maun-tein*; Você já escalou uma montanha?)

Para responder uma pergunta com **Have you ever...** simplesmente diga:

> ✔ **Yes, I have**. (*iés ai hév*; Sim, já estive.)
> ✔ **No, I haven't** (*nou ai hév-ent*; Não, não estive.)
> ✔ **No, I've never done that.** (*nou aiv né-ver don dhét*; Não, eu nunca fiz isto.)

Talvez você se pergunte por que se chama presente perfeito, quando, na verdade, faz referência ao passado. Ele se chama assim porque, ao formulá-lo, utiliza-se o presente do verbo **to have** (*tchu hév*; ter) e o particípio passado do verbo principal.

Aqui está a "fórmula" do presente perfeito: **have or has + verb**. Observe os seguintes exemplos:

> ✔ **Have you ever been to a national park?** (*hév iu é--ver bi-in tchu a né-chio-nal park*; Você já esteve em um parque nacional?)
> ✔ **Yes, I have visited Yosemite three times.** (*iés ai hév vi-si-ted iou-ce-mait thri taims*; Sim, já visitei Yosemite três vezes.)

120   Guia de Conversação Inglês para Leigos

Capítulo 8

Quando É Preciso Trabalhar

Neste capítulo

▶ O trabalho e o escritório
▶ Falando de tempo e dinheiro
▶ Fazendo uma citação
▶ Negociando com empresas nos Estados Unidos
▶ Conversas telefônicas

Seja para tratar de uma conversa de negócios ou simplesmente para descobrir qual é o seu trabalho, conhecer algo sobre o estilo e a linguagem do ambiente de negócios nos Estados Unidos permitirá que você se sinta mais tranquilo depois do primeiro **hand-shake** (*hend-sheik*; aperto de mão). Este capítulo está cheio de termos, expressões e dicas culturais para que você tenha um **briefcase** (*bri-if-keis*; portifólio) completo e pronto a qualquer momento. O capítulo também fala da etiqueta a ser seguida no telefone – como responder, como deixar um recado e tudo o que você precisa saber durante uma conversa telefônica.

122 Guia de Conversação Inglês para Leigos

Onde Você Trabalha? Conversando Sobre o Trabalho

O que você quer ser quando crescer? As crianças escutam essa pergunta em vezes durante sua infância! Por quê? Porque nos Estados Unidos, geralmente, o **job** (*djób*; emprego) é tão importante quanto a religião ou a família. Para muitos americanos, seu **work** (*uork*; trabalho) é o que define a sua identidade e seu valor.

O que você faz?

Poucos minutos depois de conhecer alguém, você poderá ouvir: **What do you do?** (*uát du iu du*; O que você faz?), **What do you do for living?** (*uát du iu du fór li-vin*; O que você faz da vida?) ou **What kind of work do you do?** (*uát kaind óf uork du iu du*; Que tipo de trabalho você faz?).

Da mesma forma, você pode responder qual é a sua ocupação ou descrever o seu trabalho:

- **I'm a computer programmer** (*aim a com-piu-ter pro-gram-mer*; Sou programador de computadores) ou **I design computer programs** (*ai di-zain com-piu-ter pro-grams*; Faço programas de computadores).
- **I'm a truck driver** (*aim a trâk drai-ver*; Sou caminhoneiro) ou **I drive a truck** (*ai draiva trâk*/ Eu dirijo caminhão).

Quando for dizer a sua ocupação, use o verbo **to be** como em **I am a doctor** (*ai em a dóc-tor*; Sou médico). Quando descrever o que faz, utilize um verbo que explique seu trabalho, como em **I teach...** (*ai ti-ich*; Eu ensino...) ou **I manage...** (*ai ma-nidj*; Eu dirijo...).

Se você é dono do seu próprio negócio, então diga **I own a business** (*ai oun a bis-nes*; Tenho meu próprio negócio).Você também pode dizer **I'm self employed** (*aim self em-plóid*; Tra-

Capítulo 8: Quando É Preciso Trabalhar   *123*

balho por minha conta) ou **I work for myself** (*ai uork for mai--self*; Trabalho por minha conta). Uma pessoa mais velha e que já não trabalha pode dizer **I don't work – I'm retired** (*ai dont uork aim ri-taird*; Não trabalho, sou aposentado).

Em uma situação de negócios é normal oferecer seu **business card** (*bis-nes card*; cartão de visitas) depois de conhecer alguém. Você pode dizer **Here's my card** (*hirs mai card*; aqui está o meu cartão). Para pedir o cartão de alguém diga **Do you have a card**? (*du iu hév a card*; Você tem um cartão?).

Palavras a Saber

work	(*uork*)	Trabalho, emprego
Job	(*djób*)	Emprego
Occupation	(*o-kiu-pei-chon*)	Ocupação, profissão
A living	(*a li-ving*)	Modo de vida
Employed	(*em-plóid*)	Empregado
retired	(*ri-taird*)	Aposentado

As profissões

Estas são algumas profissões específicas para ajudar a descrever o seu trabalho (a não ser que seja algo muito exótico).

- **Accountant** (*a-kaunt-ant*; contador)
- **Administrator** (*ad-min-is-trei-tor*; administrador)
- **Artist** (*ar-tist*; artista)
- **CEO** (*ci-i-ou*; diretor executivo)

124 Guia de Conversação Inglês para Leigos

- **Construction worker** (*com-strâc-chion uor-ker;* pedreiro)
- **Dentist** (*den-tist;* dentista)
- **Doctor** (*dóc-tor;* médico)
- **Electrician** (*i-lec-tri-chian;* eletricista)
- **Engineer** (*en-djin-i-ar;* engenheiro)
- **Entertainer** (*en-ter-tein-er;* artista)
- **Factory worker** (*fac-tori uor-ker;* operário)
- **Farmer** (*far-mer;* fazendeiro)
- **Firefighter** (*fair fait-ter;* bombeiro)
- **Lawyer** (*lóier;* advogado)
- **Mechanic** (*me-ké-nic;* mecânico)
- **Painter** (*pein-ter;* pintor)
- **Plumber** (*plâm-er;* encanador)
- **Police officer** (*po-lís ó-fi-ser;* policial)
- **Professor** (*pro-fe-sor;* professor, mestre)
- **Psychologist** (*sai-có-lo-djist;* psicólogo)
- **Salesperson** (*seils-per-son;* vendedor)
- **Secretary** (*se-cre-té-ri;* secretária)
- **Social worker** (*so-chial uorker;* trabalhador social)
- **Writer** (*rai-ter;* escritor)

Ao Trabalho!

Uma vez que as pessoas já saibam o que a as outras fazem, a pergunta obrigatória é **Where do you work?** (*uér du iu uork;* Onde você trabalha?). Você pode responder de maneira geral ou específica; por exemplo:

- **I work on a construction site.** (*ai uork on a cons-trâc-chion sáit;* Trabalho em uma construção.)
- **I have a desk job**. (*ai hév a desk djób;* Trabalho em escritório.)
- **I work for John Wiley & Sons.** (*ai uork for djon uai-li end sons;* Trabalho para John Wiley & Sons.)

Capítulo 8: Quando É Preciso Trabalhar

Esta é uma lista de alguns lugares comuns de trabalho e vocabulário importante:

- **Factory** (*féc-tó-ri*; fábrica)
- **Manufacturing plant** (*man-iu-fac-tchur-in plent*; indústria)
- **Store** (*stór*; loja)
- **Farm** (*farm*; fazenda)
- **Office** (*ó-fis*; escritório)

Como passamos muito tempo no local de trabalho, é bom conhecer alguns termos para descrever seus colegas de trabalho e sua relação de trabalho. Além do seu **boss** (*bós*; chefe) ou **employer** (*em-plói-er*; patrão), estas são algumas das pessoas com as quais você pode ter contato no trabalho:

- **Business partner** (*bis-nes part-ner*; sócio): Pessoa que compartilha com você a posse de um negócio.
- **Client** (*clai-ent*; cliente): Pessoas que pagam pelos serviços de uma empresa ou de um profissional.
- **Colleague** (*co-li-ig*; colega): Companheiro de trabalho em um ambiente profissional ou acadêmico.
- **Coworker** (*co-uork-er*; companheiro de trabalho): Qualquer pessoa que trabalha com você, geralmente, em um ambiente não profissional.
- **Customer** (*câs-tu-mer*; freguês): Pessoa que vai a uma loja ou armazém para comprar algo.

Em inglês a palavra **patron** (*pei-tron*; benfeitor) tem um significado contrário à palavra similar em português e em outros idiomas. Em inglês, **patron** significa benfeitor ou freguês – não significa chefe!

126 Guia de Conversação Inglês para Leigos

Equipamento de Escritório

Não importa o tamanho, geralmente os escritórios estão bem equipados com todo o **office equipment** (*ó-fis i-quip-ment*; equipamento de escritório) e artigos de papelaria. Certamente você conhece os equipamentos abaixo. A seguir, seu equivalente em inglês:

- ✔ **Computer** (*com-piu-ter*; computador)
- ✔ **Copier** (*co-pi-er*; copiadora)
- ✔ **Eraser** (*i-rei-ser*; borracha)
- ✔ **Fax machine** (*faks ma-chin*; fax)
- ✔ **File cabinet** (*fail ca-bi-net*; arquivo de gaveta)
- ✔ **File folders** (*fail fol-ders*; arquivos)
- ✔ **Keyboard** (*ki-bord*; teclado)
- ✔ **Paper** (*pei-per*; papel)
- ✔ **Paper clips** (*pei-per clips*; clips)
- ✔ **Pen** (*pen*; caneta)
- ✔ **Pencil** (*pen-cil*; lápis)
- ✔ **Stapler** (*stei-pler*; grampeador)
- ✔ **Tape** (*teip;* /fita adesiva)

Tempo é Ouro

Em nenhum outro lugar, o ditado **Time is money** (*Táim is mã-nei*; Tempo é dinheiro) é mais sério do que no ambiente de trabalho (por mais descontraído e amigável que ele seja.) O objetivo das corporações americanas – e de qualquer outra empresa grande ou pequena – é obter **profit** (*pro-*fit; lucro).

Perguntar a alguém sobre o seu **salary** (*sa-lari*; salário) é considerado indiscreto e, em algumas empresas, comparar salários pode ser motivo de demissão! Porém, é comum que as pessoas façam comentários gerais (bons e maus) sobre seu salário – e você também pode fazê-lo. Isto é o que você pode ouvir ou dizer:

Capítulo 8: Quando É Preciso Trabalhar 127

- **I'm paid hourly.** (*aim peid aur-li*; Me pagam por hora.)
- **I'm on a salary.** (*aim on a sa-la-ri*; Sou assalariado.)
- **I get minimum wage.** (*ai guét mi-ni-mum ueidj*; Recebo o salário mínimo.)
- **I have a good-paying job.** (*ai hév a gud pei-ing djób*; Tenho um emprego bem remunerado.)
- **I got a raise.** (*ai gót a re-iz*; Recebi um aumento.)
- **We received a pay cut.** (*ui ri-civid a pei cât*; Nós recebemos um corte no pagamento.)

Se você sustenta a sua família e leva o dinheiro para casa, você é o **breadwinner** (*bréd-uin-er*; quem sustenta a família) ou, como dizem os americanos, **you bring home the bacon** (*iu bring ho-um dhe bei-con*; você leva o toucinho para casa) – sem sequer ir ao supermercado! Estas expressões se referem às pessoas que trabalham fora de casa, diferentemente do **homemaker** (*ho-um mei-ker*; dona de casa) – que é quem realmente traz o verdadeiro pão e toucinho!

Palavras a Saber

paycheck	(*pei-tchék*)	Pagamento, cheque de pagamento
Wage	(*ueidj*)	Salário ou pagamento
Salary	(*sa-la-ri*)	Salário
Raise	(*re-iz*)	Aumento
paycut	(*pei-cât*)	Reduzir os custos

128 **Guia de Conversação Inglês para Leigos**

Horário de trabalho

O horário normal da maioria das empresas é das 8h às 17h ou 18h, de segunda a sexta, porque em geral as pessoas têm **day job** (*dei djób*; trabalhos durante o dia). Porém, um **24-hour business** (*tuen-ti fór aur bis-nes*; negócio que fica aberto 24 horas) ou uma fábrica, pode ter vários **shifts** (*chifts*; turnos). Por exemplo:

- ✔ **Day shift** (*dei chift*; turno diurno): O período de trabalho é das 8h às 17h.
- ✔ **Night shift** (*nait chift*; turno noturno): O período de trabalho é durante à tarde ou noite. Algumas empresas se dividem em dois turnos: **graveyard shift** (*greiv-iard chift*; turno noturno, "de cemitério") geralmente da meia-noite às 8h e **swing shift** (*suing chift*; turno vespertino/ "misto") das 16h até meia-noite.

A hora do almoço e do "cafezinho"

Um dos momentos preferidos do dia de trabalho – sem contar, é claro, a **quitting time** (*kuit-ting taim*; hora de saída) é a **lunch hour** (*lântch aur*; hora do almoço). Apesar de dizermos hora de almoço, pode ser que você só tenha meia hora para comer.

O funcionário pode levar **brown-bags** (*braun bégs*; sacola de papel) com seu almoço – isto é, leva comida de casa, provavelmente em uma sacola de papel. Algumas pessoas preferem sair do escritório para comer. Se um funcionário quiser sair para comer algo rápido, talvez convide você da seguinte maneira:

- ✔ **Do you want to get some lunch?** (*du iu uant tchu guét sâm lântch*; Você quer ir almoçar?)
- ✔ **Want to join me for lunch?** (*uant tchu djóin mi fór lântch*; Você quer vir almoçar comigo?)
- ✔ **Do you want to grab a bite to eat?** (*du iu uant tchu gréb a bait tchu i-it*; Você quer ir comer alguma coisa?)

Outro momento preferido do dia é o **coffee break** (*cófi breik*; a hora do cafezinho). A norma é 15 minutos duas vezes por dia. Mas, na maioria dos empregos, não é preciso esperar este tempo para ir ao banheiro ou para ir beber algo. Porém, fumar é nesse momento.

Palavras a Saber

Shift	(*chift*)	Turno
Lunch hour	(*lântch aur*)	Hora de almoço
Quitting time	(*kuit-ting taim*)	Hora de saída
Brown-bag	(*braun bég*)	Sacola de papel
To smoke	(*tchu smouk*)	Fumar
To take a break	(*tchu teik a breik*)	Tempo para descansar

Agendando um Horário

Nesta sociedade tão ativa, agendar horários é uma parte importante do dia. Já se tornou algo tão comum que antes de fazer planos para sair e tomar um café com um amigo, muita gente diz:

- ✔ **Let me check my planner.** (*lét mi tchéck mai plen-ner*; Vou verificar a minha agenda.)
- ✔ **Let me look at my schedule.** (*lét mi luk ét mai skédiul*; Tenho que ver meus horários.)

Sendo assim, é importante ter um horário organizado. Com algumas frases simples, você também poderá fazer convites em inglês com toda tranquilidade. Agora, encontrar uma hora em que as duas pessoas estejam livres é outra história!

130   Guia de Conversação Inglês para Leigos

Observe as seguintes expressões para fazer um convite:

- ✔ **I'd like to make an appointment with you**. (*aid laik tchu meik an a-póint-ment uidh iu*; Gostaria de sair com você.)
- ✔ **Can we schedule a meeting?** (*Ken ui ské-diul a mi--iting*; Podemos marcar um encontro?)
- ✔ **Let's schedule a time to meet**. (*lets ské-diul a taim tchu mi-it;*/ Vamos marcar uma hora para nos encontrarmos.)

E como resposta, a pessoa pode dizer:

- ✔ **When would you like to meet?** (*uen u-uld iu laik tchu mi-it?* Quando você gostaria de sair?)
- ✔ **When are you free?** (*uen ar iu fri*; Quando você está livre?)
- ✔ **I can meet on ...** (*ai ken mi-it on* Podemos nos encontrar na/o…)
- ✔ **I'm free on...** (*aim fri on*/ Estou livre as...)

Palavras a Saber

To set up	(*tchu sét âp*)	concertar
To make	(*tchu meik*)	Fazer
To Schedule	(*tchu ské-diul*)	Programar
To check	(*tchu tchék*)	Verificar
Schedule	(*ské-diul*)	Horário, agenda
Planner	(*plan-ner*)	Agenda
Appointment	(*a-point-ment*)	Encontro informal
Meeting	(*mi-iting*)	Encontro ou reunião formal

Capítulo 8: Quando É Preciso Trabalhar   *131*

Às vezes que as pessoas não podem ir ao encontro ou não podem trocar o seu horário. Se precisar **cancel** (*kén-sel*; cancelar) ou **reschedule** (*ri-ské-diul*; adiar) um encontro, você pode fazê-lo nas seguintes formas:

- ✔ **I'm sorry. I have to reschedule our appointment.** (*aim só-ri ai hév tchu ri-ské-diul aur a-póint-ment*; Desculpe. Tenho que adiar nosso encontro.)
- ✔ **Is it possible to reschedule?** (*it is pó-si-bul tchu ri-ské-diul*; É possível remarcar?)
- ✔ **I need to change our meeting date.** (*ai ni-id tchu tche-in-dj aur mi-iting deit*/; Eu preciso mudar a data do nosso encontro.)

Fazendo Chamadas Telefônicas Como Todo Profissional

As chamadas telefônicas são absolutamente indispensáveis, tanto para os negócios quanto para a vida diária. Esta seção inclui as frases e as palavras mais comuns ao falar por telefone, junto com algumas dicas úteis para que os outros o entendam melhor.

Trim, trim! Como atender uma chamada

O cumprimento mais comum para atender ao telefone é um simples **Hello** (*He-lou*; Olá) ou **Hello?** (Alô?).

Talvez também atenda com os seguintes cumprimentos:

- ✔ **Yes?** (*iés*; Sim?)
- ✔ **Einstein residence, Albert speaking.** (*ain-stain re-si-dens al-bert spi-ik-ing*; Residência do Einstein, Albert falando.)

Algumas vezes, as pessoas atendem ao telefone com seu nome e a palavra **here** (*hir*; aqui), como em **Al here** (*al hir*; Aqui é o Al). Porém, quando você for atender ao telefone, diga apenas **Hello**. Se atender com Yes? ou **Al here** pode soar um pouco frio e impessoal.

Fazendo uma ligação

Digamos que você tenha que **make a call** (*meik a cól*; fazer uma chamada). O telefone **rings** (*rings*; toca), alguém atende e diz **Hello?**

Agora é a sua vez, apenas diga **Hello**, fale devagar e identifique-se com umas das seguintes frases:

- **This is ...** (*dhis is*; Aqui é...) Diga isto se a pessoa que atender conhecê-lo.
- **My name is...** (*mai neim is;* Meu nome é...) Diga isto se a pessoa que atender não conhecê-lo.

A seguir, pergunte pela pessoa com quem você quer falar, da seguinte maneira:

- **Is___there?** (*is _____ dhér*; __ está?)
- **May I speak to _____?** (*mei ai spi-ik tchu _____*; Posso falar com _____?

Agora você se pergunta, o que devo perguntar para a pessoa do outro lado da linha? Isto depende da situação. Imagine que você pediu para chamar seu amigo Devin. Você disse **Hello. Is Devin there?** (*hé-lou is de-vin dhér*; Olá, Devin está?). Observe as situações que podem acontecer:

- Devin atende ao telefone e diz: **This is Devin** (*dhis is de-vin*; Aqui é o Devin) ou **Speaking** (*spi-king*/ quem fala).
- Devin não atende mas está em casa. A pessoa que atende diz: **Just a minute** (*djûst a mi-nut*; Um momento) ou **Hold on a minute. Who's calling please**? (*hold on a mi-nut hu-us có-ling pli-is*; Um momento, por favor. Quem está falando?)

Capítulo 8: Quando É Preciso Trabalhar   *133*

> ✔ Devin está mas não pode atender. A pessoa que atende pode dizer: **Devin can't come to the phone now. Can I have him call you back?** (*de-vin ként câm tchu dhe foun nau kén ai hév him cól iu bék*; Devin não pode atender agora. Ele pode ligar para você mais tarde?) ou **Can he call you back? He's busy** (*kén hi cól iu bék his bi-si*; Ele pode te ligar mais tarde? Ele está ocupado.)

Se Devin não está em casa, talvez você queira deixar um recado. Consulte a seção "Como deixar um recado" para obter mais informações do que deve dizer.

Se uma **caller** (*cól-er*; pessoa que chama) dizer **Who is this?** (*hu is dhis*; Quem é?) no momento em que você atende à chamada, não está sendo muito educada, pelo contrário, se você fizer uma ligação e não se identificar, está certo da pessoa que atende perguntar **Who is this?** ou **Who's speaking?** (*hu-us spi-king*; Quem está falando?).

Palavras a Saber

Telephone	(*te-le-foun*)	Telefone
Phone	(*foun*)	Telefone
Cell phone	(*cél foun*)	Telefone celular
The other end	(*dhe ó-dher end*)	Outro lado
To make a call	(*tchu meik a cól*)	Fazer uma ligação
To receive a call	(*tu ri-ci-iv a cól*)	Receber uma ligação

134 Guia de Conversação Inglês para Leigos

Como deixar um recado

Quando telefonar para alguém, você pode ter a sorte de que quem atenda seja uma pessoa e não uma **answering machine** (*en-ser-in ma-chin*; secretária eletrônica) ou **voicemail** (*vóis meil*; correio de voz) que diz **Please leave a message** (*pli-is li-iv a més-idj*/ Por favor, deixe uma mensagem) ou **Leave me a message** (*li-iv mi a meis-ich*; Deixe uma mensagem).

Depois que o correio de voz ou a secretária eletrônica fizer o bip, deixe uma mensagem curta.

> **This is Sam. My number is 555-1624. Please give me a call. Thank you. Good bye**. (*dhis is sam mai nâmber is faiv faiv faiv uân siks tchu-u four pli-is guiv mi a cól thank iu gud bai*; Aqui é o Sam. Meu número é 555-1624. Me liga por favor. Obrigado. Tchau.)

Se a pessoa para quem você ligou não está, mas outra pessoa atendeu ao telefone, talvez queira pedir para que diga ao seu amigo que **call you back** (*cól iu bék*; ligar de volta) ou **give him a message** (*guiv him a més-idj*; deixar recado).

Estas dão algumas variações para deixar e anotar um recado.

- ✔ A pessoa que anota o recado pode dizer: **Can I take a message?** (*Ken ai teik a més-idj*/ Você quer deixar um recado?), **Do you want me to have him call you back?** (*du iu uant mi tchu hev him cól iu bék*; Quer que eu diga para ele te retornar?), ou **Should I ask her to call you?** (*chuld ai ésk her tchu cól iu*; Devo pedir a ela para ligar para você?)

- ✔ A pessoa que quer deixar uma mensagem pode dizer: **May I leave a message?** (*mei ai li-iv a més-idj*; Posso deixar um recado?) **Could you give her a message?** (*culd iu guiv her a més-idj*; Você pode dar um recado a ela?), **Would you tell him I called?** (*u-ud iu tél him ai cóld;* Você poderia dizer que eu liguei?) ou **Please ask her to return my call** (*pli-is ésk her tchu ri-turn mai cól*; Por favor, diga a ela para me retornar).

Capítulo 8: Quando É Preciso Trabalhar   135

As palavras **could** (*cud*; poderia) e **would** (*u-ud*; passado de **will**) são formas educadas de **can** (*Ken;* poder) e **will** (*uil;* verbo auxiliar do futuro). Geralmente **could** e **would** são usados quando se fala por telefone com alguém que não é um amigo muito próximo.

Perdão! Disquei o número errado

Se você se der conta de que discou o número errado, apenas diga:

- **Oops, sorry!** (*u-ups só-ri*; Opa, desculpe!)
- **Sorry. I think I dialed the wrong number.** (*só-ri ai think ai daild dhe rong nâm-ber;* Desculpe. Acho que disquei o número errado.)

Palavras a Saber

To take a message	(*tchu teik a més-idj*)	Anotar um recado
To leave a message	(*tchu li-iv a a més-idj*)	Deixar uma mensagem
To give her a message	(*tchu guiv her amés-idj*)	Dar um recado
Tell him I called	(*tel him ai cól-ed*)	Dizer que liguei
Call someone back	(*cól som-uân bék*)	Retornar a ligação
Return someone's call	(*ri-târn som-uâns cól*)	Retornar a ligação de alguém

136 Guia de Conversação Inglês para Leigos

Capítulo 9

Andando Pela Cidade: Meios De Transporte

Neste capítulo

▶ No aeroporto
▶ Conheça os meios de transporte
▶ Como chego em...?

*E*ste capítulo apresenta um vocabulário útil para viajar, assim como informações para sair do aeroporto, usar o transporte público, alugar um carro, viajar pelas estradas dos Estados Unidos e pedir indicações de como chegar em algum lugar.

Para Entrar e Sair do Aeroporto

Nos aeroportos americanos quase todos os letreiros estão em inglês (a menos que você esteja perto da fronteira com o México ou Quebec, Canadá). Estes são alguns dos letreiros que você vai ver:

▶ **Baggage Claim** (*bé-guedj* cleim/ bagagens)
▶ **Immigration** (*i-mi-grei-chion* /imigração)

138 Guia de Conversação Inglês para Leigos

- **Customs** (*câs-tams*; alfândega)
- **Information** (*in-for-mei-chion*; informações)
- **Arrivals** (*a-rai-vals*; chegada, desembarque)
- **Departures** (*di-part-tchurs*; saídas, embarques)
- **Ground Transport** (*graund trans-port*; transporte terrestre)

A maioria das pessoas se sente um pouco nervosa ao passar pela imigração e alfândega, mas se você não tiver nada que seja proibido nos Estados Unidos, o processo burocrático é simples. Certifique-se de estar com os documentos necessários – **visa** (*vi-sa*; visto), **passport** (*pés-port*; passaporte) e seu **airline ticket** (*ér-lain ti-ket*; passagens) – e siga a sinalização que diz **Immigration**.

Na alfândega podem pedir que você abra ou desembrulhe a sua mala e responda algumas perguntas sobre alguns itens. Estas são algumas expressões que você deve conhecer:

- **Please open your bags**. (*pli-is open iór bégs*; Por favor, abra as suas malas.)
- **Do you have any items to declare?** (*du iu hév e-ni aitems tchu di-clér*; Tem algo para declarar?)

Palavras a Saber

Luggage	(*lâ-guidj*)	Bagagem
Baggage	(*bé-guidj*)	Malas ou bagagens
Bags	(*bégs*)	Malas
Schedule	(*ské-duil*)	Horário
Ticket	(*ti-ket*)	Bilhete
Passport	(*pés-port*)	Passaporte

Capítulo 9: Andando Pela Cidade: Meios De Transporte   *139*

Depois de passar pelos pontos de revista obrigatórios e pegar a sua bagagem, você deverá seguir a sinalização para os transportes terrestres, onde poderá pegar um **taxi** (*té-csi*; táxi), um **bus** (*bâs*; ônibus) ou o **airport shuttle** (*ér-port chã--tel*; veículo de cortesia do aeroporto).

Usando o Transporte Público

Se você está visitando uma das grandes cidades do país como Chicago, Nova York, San Francisco, Washington, entre outras, terá acesso a um transporte público excelente e, na maioria dos casos, eficiente. Há vários ônibus que vão à cidade constantemente. Os **commuter trains** (*co-miu-ter treins*; trens locais) e **subways** (*sâb-ueis*; metrô) são muito usados.

Se você procura estações para pegar transporte público, pode pedir que alguém explique como chegar da seguinte forma:

- ✔ **Where is the closest train station?** (*uér is dhe clou--sest trein stei-chion*; Onde fica a estação de trem mais próxima?*)
- ✔ **Where is the nearest bus stop?** (*uér is the ni-ar-est bâs stop*; Onde é o ponto de ônibus mais próximo?*)
- ✔ **Where can I find the subway?** (*uér ken ai faind dhe sâb-uei*; Onde fica o metrô?*)

Para poder andar de ônibus pela cidade, pegue um horário na estação ou pergunte onde pode seguir um. As **bus routes** (*bâs ru-uts*; rotas de ônibus) são numeradas, e geralmente é preciso pagar as passagens com o dinheiro exato, a menos que você compre um **bus pass** (*bâs pés*; passe de ônibus) para vários dias.

Estas são algumas frases que podem ajudá-lo a utilizar o transporte público:

140 Guia de Conversação Inglês para Leigos

- **How do I get to _____ Street?** (*hau du ai guét tchu _____ Stri-it*; Como chego na rua _____?)
- **Which train goes to _____?** (*uitch trein gous tchu _____?*; Que trem vai para _____?)
- **Where do I catch number _____ bus?** (*uér du ai ké-tch nâm-ber _____ bâs*; Onde pego o ônibus número _____?)
- **Is there a more direct rout to _____ Street?** (*is dhér a mór di-réct ru-ut tchu _____ stri-it*; Existe uma rota mais direta para rua _____?)
- **Where does this bus go?** (*uér dâs dhis bâs gou*; Para onde vai este ônibus?)
- **Does this bus go to _____?** (*dâs dhis bâs gou tchu*; Este ônibus vai para _____?)
- **Please tell me where I get off the bus.** (*pli-is tel mi uér ai guét of dhe bâs*; Por favor, me avise onde tenho que descer.)
- **Can you tell me when we get to my stop?** (*ken iu tel mi uen ui guét tchu mai stóp*; Você pode me avisar quando chegar o meu ponto?)

Palavras a Saber

Bus	(*bâs*)	Ônibus
Train	(*trein*)	Trem
Subway	(*sâb-uei*)	Metrô
Route	(*ru-ut*)	Rota
Bus pass	(*bâs pés*)	Passe de ônibus
Transfer	(*trans-fer*)	Transferir
Direct rout	(*di-rect ru-ut*)	Rota direta

Capítulo 9: Andando Pela Cidade: Meios De Transporte   *141*

Chamando um táxi

Em algumas cidades importantes e nos arredores do centro das cidades, você vai encontrar **taxis** (*ték-sis*; táxis) nas ruas esperando para pegar os passageiros. Mas em várias cidades e bairros, você tem que chamar um serviço de táxis para que te busquem. As **taxi fares** (*téksi férs*; tarifas de táxis) são fixas a um determinado valor por milha, e o preço aparece no **meter** (*mi-ter*; taxímetro) que é uma caixa que fica no painel.

Estas são algumas frases que você vai precisar quando entrar no táxi:

- **I'd like to go to** _____. (*aid laik tchu gou tchu* _____; Eu quero ir para _____.)
- **Please take me to** _____. (*pli-is teik mi tchu* _____; Por favor, me leve para _____.)

Viagens longas de ônibus, trem ou avião

Se você está com pouco dinheiro, mas muito tempo, ou apenas quer ver a paisagem, as viagens longas de ônibus são para você. Compre um **one-way** (*uân uei*; passagem só de ida ou volta) ou um **round-trip ticket** (*raund trip ti-ket*; passagem completa, de ida e volta) no **bus station** (*bâs stri--chion*; terminal rodoviário).

Se você quer um pouco mais de conforto, pegue o **train** (*trein*; trem). Para ter um pouco mais de luxo (e preço mais alto), você pode comprar um **private sleeper** (*prai-vet sli-per*; cabine), que é um compartimento pequeno para dormir e desfrutar de suas refeições no **dining car** (*dai-nin car*; vagão de restaurante).

Pelo seu valor, a opção mais solicitada pela maioria das pessoas que viaja dentro dos Estados Unidos é **air travel** (*ér tré-vel*; viagem aérea). Você pode pegar um **plane** (*plein*; avião) e atravessar o país em quatro horas aproximadamente. Certifique-se de chegar a tempo de registrar suas malas, passar pela **security check** (*se-kiur-i-ti tchék*; segurança) e chegar ao **gate** (*gueit*; portão).

142 Guia de Conversação Inglês para Leigos

Estas são algumas frases úteis para quando for comprar uma passagem de avião:

- ✔ **I need a round-trip ticket to _____.** (*ai ni-id a raund trip ti-ket tchu _____.*; Preciso de uma passagem de ida e volta para _____.)
- ✔ **I want to leave April 3rd and return April 10th.** (*ai uant tchu li-iv ei-pril thârd end ri-târn ei-pril tenth*; Quero partir dia 3 de abril e voltar dia 10.)
- ✔ **Is that a nonstop flight?** (*is dhét a non stop flait*; Este é um voo sem escalas?)
- ✔ **What's the fare?** (*uáts dhe fér*; Quanto custa?)
- ✔ **I want a window (aisle) seat.** (*ai uant a uin-dou (eil) si-it*; Quero uma poltrona na janela (corredor).)

Palavras a Saber

One-way	*(uân uei)*	Viagem simples, ida ou volta
Round-trip	*(raund-trip)*	Viagem completa, ida e volta
Ticket counter	*(ti-ket caun-ter)*	Guichê
Travel agency	*(tré-vel ei-djen-ci)*	Agência de viagens
Station	*(stei-chion)*	Estação

Quando viajar, qualquer que seja o seu meio de transporte, é provável que queira saber o quão longe do seu destino você está. Com estas duas perguntas, você pode se inteirar facilmente da distância e do tempo de viagem:

Capítulo 9: Andando Pela Cidade: Meios De Transporte **143**

✔ **How far is it?** (*hau far is it*; Qual é a distância?)
✔ **How long does it take to get there?** (*hau long dâs it teik tchu guét dhér*; Quanto tempo leva para chegar?)
✔ **What is the best route to take?** (*uát is dhe best ru-ut tchu teik;* Qual é o melhor percurso?)

Aluguel de Carro

Você gosta de se aventurar sozinho e aproveitar a liberdade de viajar no seu próprio ritmo? Ou simplesmente precisa de um carro para uma viagem curta ou de negócios? Se este for o caso, você pode alugar um carro e experimentar a maior das aventuras – dirigir nas **freeways** (*fri-ueis*; vias expressas) dos Estados Unidos.

Na locadora de carros

Nos Estados Unidos existem várias empresas de aluguel de carros, e cada uma tem procedimentos e requisitos específicos. Dependendo da empresa, você tem que ter pelo menos de 18 a 25 anos para alugar um carro, e precisa do seguinte:

✔ Uma **driver's license** (*drai-vers lai-cens*; carteira de motorista) válida: A licença pode ser internacional ou do seu próprio país.
✔ Um **credit card** (*crédit card; cartão de crédito*): Geralmente as empresas só aceitam American Express, MasterCard e Visa.

A maioria das empresas aluga por **day** (*dei*; dia) e dão **miles** (*má-ils*; milhas) de graça – o que significa que não cobram por milhas rodadas. Estes são alguns termos que você precisa conhecer quando for escolher um carro:

✔ **Compact** (*com-pact*; compacto)
✔ **Luxury** (*lâg-zâri*; de luxo)

- ✔ **Minivan** (*mi-ni van*; minivan)
- ✔ **Two-door** (tchu-u dór; duas portas)
- ✔ **Four-door** (fór dor; quatro portas)
- ✔ **Automatic** (auto-ma-tic; automático)
- ✔ **Stick shift** (stik chift; câmbio manual)

No caminho

Antes de começar a dirigir pelas estradas ou pelas ruas da cidade, você precisa conhecer algumas **rules of the road** (*ruls óf dhe roud*; regras de trânsito). Antes de mais nada, lembre-se de que nos Estados Unidos se dirige no **right-hand side** (*rait hend said;* do lado direito) da estrada ou rua.

Algumas placas de trânsito são universais ou pelo menos lógicas. Por exemplo, uma placa com o desenho de crianças andando e levando livros, indica claramente que é preciso tomar cuidado porque tem crianças entrando e saindo da escola. Estas são algumas descrições das placas básicas de trânsito:

- ✔ **Stop** (*stóp*; pare): um hexágono vermelho com letras brancas.
- ✔ **Yield** (*iild*; dê a preferência): um triangulo branco com borda vermelha.
- ✔ **One-Way (***uân uei*; sentido único): uma seta branca em um retângulo de cor preta.
- ✔ **No U-Turn** (*nou iu târn*; proibido retornar): um retângulo branco com uma seta preta em forma de U invertido e o símbolo universal de NÃO atravessado.
- ✔ **Railroad Crossing** (*reil roud crós-ing*; cruzamento de trem): Um X preto sobre o fundo branco com as letras RR.

Em alguns estados é permitido fazer a volta pela **right** (*rait*/ direita) quando o semáforo está vermelho, mas apenas na faixa da direita e apenas quando não vem ninguém. Veja se não estão passando pedestres e certifique-se de que não tenha nenhuma placa que diga **No Turn on Red** (*nou târn on réd*; Não vire a direita no vermelho.)

Capítulo 9: Andando Pela Cidade: Meios De Transporte *145*

Palavras a Saber		
Stop sign	(*stóp sain*)	Placa de pare
Traffic light	(*tra-fic lait*)	Semáforo
Pedestrian	(*pe-des-tri-an*)	Pedestre
Crosswalk	(*crós-uolk*)	Faixa de pedestre
intersection	(*in-ter-sec-chion*)	Cruzamento

Comprando gasolina

Ao dirigir, você deverá se dar conta de que é preciso encontrar um **gas station** (gués stei-chion; posto de gasolina). Se você não encontrar nenhuma placa que indique que tem um posto por perto, pare e faça uma dessas perguntas:

- ✔ **Where is the nearest gas station?** (*uér is dhe ni-ar--est gués stei-chion*; Onde fica o posto de gasolina mais perto?)
- ✔ **Where can I buy gas?** (*uér ken ai bai gués*; Onde posso comprar gasolina?)

Tenha em mente que a maioria dos postos nos Estados Unidos é **self-service** (*sélf sér-vi-ce*), o que quer dizer que você mesmo tem que **pump** (*pâmp;* colocar) a gasolina. Entretanto, em alguns lugares, você pode encontrar postos **full--service** (*ful sér-vi-ce*; serviço completo) onde um **attendant** (*a-tend-ant*; atendente) coloca gasolina e pode checar o **oil** (*óil*; óleo) e os **tires** (*tairs*; pneus).

O **price per gallon** (prais per *gué*-lon; preço por galão) é indicado na bomba e você pode pagar antes ou depois de abastecer, dependendo de cada posto. Geralmente o pagamento é feito na loja, que seria um **mini-market** (mini-*mar*--ket; minimercado) que vende lanches e bebidas.

146 Guia de Conversação Inglês para Leigos

Há quatro tipos básicos de gasolina: **unleaded** (*ân-li-id-ed; sem chumbo*), **regular** (*re-guiu-lar; regular*), **super** (*su-per; super*) e **diesel** (*di-sel; diesel*). Se você vai pagar a gasolina adiantado, utilize uma das seguintes expressões para indicar a quantidade de gasolina que você quer:

- ✔ **I want 10 gallons of regular.** (*ai uant ten gué-lons óf re-guiu-lar*; Quero dez galões de gasolina regular.)
- ✔ **Give me 20 dollars of unleaded.** (*guiv mi tuen-ti dó-lars óf ân-li-id-ed*; Coloque vinte dólares de gasolina sem chumbo.)
- ✔ **I want to fill it up.** (*ai uant tchu fil it âp*; Quero encher o tanque.) A expressão **fill it up** significa completar o tanque.

Palavras a Saber

Gas station	(*gués stei-chion*)	Posto de gasolina
Pump	(*pûmp*)	Bomba
To pump	(*tchu pûmp*)	Colocar gasolina
Oil	(*óil*)	Óleo
Gas tank	(*gués tank*)	Tanque de gasolina
tires	(*tairs*)	Pneus

Pedindo Orientações

Ao viajar ou em um lugar desconhecido, você precisa pedir orientações sobre onde ficam as coisas. É completamente admissível aproximar-se de alguém ou entrar em uma loja e falar com o funcionário. As pessoas te ajudam com muito

Capítulo 9: Andando Pela Cidade: Meios De Transporte *147*

prazer se você conhecer algumas frases educadas como:

- ✔ **Excuse me** (*éks-kius me;* Com licença)
- ✔ **Pardon me** (*par-don mi;* Perdão)
- ✔ **Can you help me?** (*keniu help mi;* Você pode me ajudar?)

Agora que você já sabe como chamar a atenção de alguém, as próximas seções vão indicar como pedir orientações para chegar em algum lugar.

Como chego em...?

É requisito obrigatório saber como pedir **directions** (*di-réc-chions;* orientações). Estas são algumas perguntas para encontrar o lugar que procura:

- ✔ **How do I get to a bank?** (*hau du ai guét tchu a benk;* Como chego ao banco?)
- ✔ **Where's the grocery store?** (*uérs dhe gró-cher-I stór;* Onde é o supermercado?)
- ✔ **Is there a public restroom nearby?** (*is dhér a pâblic rest-ru-um ni-ar-bai;* Tem algum banheiro público aqui por perto?)
- ✔ **How do I find _____?** (*hau du ai faind _____;* Como eu encontro _____?)
- ✔ **Please direct me to _____** (*pli-is di-réct mi tchu_____;* Por favor, me indique como chegar em _____.)

A lista a seguir contém mais frases relacionadas aos lugares e frases usadas para pedir orientações: **Excuse me, where is...** (*éks-kiuz mi uér is...*/ Com licença, onde fica..):

- ✔ **...the freeway?** (*dhe fri-uei;* a via expressa?)
- ✔ **...the main part of town?** (*dhe mein part óf taun;* o centro da cidade?)

148 Guia de Conversação Inglês para Leigos

- ☛ **...the bus station**? (*dhe bâs stei-chion*; o terminal de ônibus?)
- ☛ **...a good restaurant?** (*a gud rest-rant*; um bom restaurante?)
- ☛ **...a pharmacy?** (*a far-ma-ci*; uma farmácia?)
- ☛ **... Carnegie Hall?** (*car-ne-gui hól*; o Carnegie Hall?)

Palavras a Saber

Public restroom	(*pâ-blic rést-ru-um*)	Banheiro público
Grocery story	(*gro-che-ri stór*)	Mercadinho
Bank	(*benk*)	Banco
Pharmacy	(*far-ma-ci*)	Farmácia
Ladies' room	(*lei-dis ru-um*)	Banheiro feminino
Men's room	(*mens ru-um*)	Banheiro masculino
Post office	(*poust ó-fis*)	Correios

Viajar na direção certa

Quando alguém lhe dá orientações, você pode escutar algumas dessas palavras:

- ☛ **Straight** (*streit*; em frente)
- ☛ **Right** (*rait*; direita)
- ☛ **Left** (*léft*; esquerda)

Capítulo 9: Andando Pela Cidade: Meios De Transporte   149

- **Block** (*blók*; quadra)
- **Stoplight** (*stop-lait*; semáforo) ou light (lait; luz)
- **Stop sign** (*stop sain*; placa de pare)
- **Intersection** (*in-ter-sék-chion*; cruzamento)
- **Road** (roud; estrada)
- **Street** (*stri-it*; rua)
- **Avenue** (*a-ve-niu*; avenida)

Os três verbos a seguir são usados, com frequência, como verbos de "orientação" com as palavras relacionadas a "lugar" citadas acima:

- **To follow** (*tchu fó-lou*; seguir)
- **To turn** (*tchu tãrn*; dar a volta)
- **To take** (*tchu teik*; pegar)

Follow e **turn** são verbos regulares (que terminam com **–ed** no passado). Porém, **take** é um verbo irregular, com **took** e **taken** como suas conjugações do passado. Consulte o capítulo 2 para obter mais informações sobre verbos regulares e irregulares.

Neste contexto, **follow** significa continuar em uma certa direção como em:

- **Follow this road for a few miles**. (*fó-lou dhis roud fór a fiu mails;*/ Siga esta estrada por algumas milhas.)
- **This road follows the coast**. (*dhis roud fó-lous dhe coust*; Esta estrada segue a costa.)

Se uma pessoa lhe der orientações com a palavra **take**, ela está indicando para entrar em um caminho específico ou está dizendo o percurso que ela usa. Os exemplos seguintes mostram dois significados para a palavra **take**:

150 Guia de Conversação Inglês para Leigos

- ✔ **Take this road for two blocks.** (*teik dhis roud fór tchu blóks*; Siga nesta rua por duas quadras.)
- ✔ **I usually take Highway 80 to Salt Lake City.** (*ai iu-jiu-a-li teik hai-uei ei-ti tchu salt leik ci-ti* Eu geralmente pego a Highway 80 para Salt Lake City.)

Turn right (*târn rait*; vire a direita), **turn left** (*târn left*; vire a esquerda) ou **turn around** (*târn a-raund*; dê a volta) são os usos comuns de **turn**.

Às vezes uma rua **turns into** (*târn in-tchu*; se transforma) em outra rua, o que significa que a rua trocou de **name** (*neim*; nome). Neste caso, **turns into** é o mesmo que **becomes** (*bi--câms*; se tornar).

Observe os exemplos com **turn**:

- ✔ **Turn right at First Street**. (*târn rait ét fârst stri-it*; Vire na First Street.)
- ✔ **Mission Street turns into Water Street after the light.** (*mi-chion stri-it turns in-tchu ua-ter stri-it af-ter dhe lait*; Depois do semáforo a Mission Street se torna Water Street.)
- ✔ **He went the wrong way, so he turned around.** (*hi uent dhe rong uei sou hi târnd a-raund*; Ele foi pelo ca-minho errado, então ele deu a volta.)

Preposições de lugar

As preposições de lugar indicam o local onde algo se encon-tra em relação ao ponto de referência. Assim, como se pode imaginar, é quase impossível entender ou dar direções sem essas preposições. Você estaria literalmente perdido! Por exemplo, a preposição **next to** (*nékst tchu*; junto a,ao lado de) na oração **My house is next to the bakery** (*mai haus is nékst tchu dhe beik-e-ri*; Minha casa fica ao lado da pada-ria.) indica que a minha casa e a padaria estão uma do lado da outra (e provavelmente com muitos biscoitos saindo do forno!). Estas são algumas das preposições mais comuns para dar orientações:

Capítulo 9: Andando Pela Cidade: Meios De Transporte *151*

- **Before** (*bi-fór*; antes)
- **After** (*af-ter*; depois)
- **Near** (*ni-ar*; perto)
- **Next to** (*nékst tchu*; do lado de, junto a)
- **Across from** (*a-crós from*; do outro lado)
- **In front of** (*in front óf*; na frente de)
- **Around the corner** (*a-raund dhe cór-ner*; na esquina)
- **On the right** (*on dhe rait*; à direita)
- **On the left** (*on dhe léft*; à esquerda)
- **In the middle** (*in dhe mi-del*; no meio)
- **At the end** (*ét dhe end*; no final)

Sempre leve um caderninho (e uma caneta ou um lápis) para que possa pedir que desenhem um mapa quando lhe derem as direções. Apenas diga **Can you draw me a map, please?** (*ken iu dró mi a mép pli-is*; Você pode desenhar um mapa para mim, por favor?).

Para o norte ou para o sul?

Algumas pessoas têm um grande sentido de direção. Sempre sabem onde estão.

- **North** (*north*; norte)
- **South** (*sauth*; sul)
- **Este** (*i-ist*; leste)
- **West** (*uést*; oeste)

Ainda que todo mundo saiba que o sol nasce no leste e se põe no oeste, você pode se sentir **turned around** (*tûrnd a-raund*; desorientado) quando se encontra em um lugar que não conhece. Assim, se a pessoa que está lhe indicando o caminho falar para você ir para o leste, mas você não tem certeza onde fica o leste, apenas pergunte:

152 Guia de Conversação Inglês para Leigos

- **Do you mean left?** (*du iu mi-in léft*; Você quis dizer esquerda?)
- **Do you mean right?** (*du iu mi-in rait*; Você quis dizer direita?)
- **Is that right or left?** (*is dhét rait ór léft*; Isto é à direita ou à esquerda?)

Capítulo 10

Um Lugar para Descansar

Neste capítulo

- ▶ A casa
- ▶ De visita
- ▶ A limpeza da casa
- ▶ Os hotéis

*S*e você perguntar aos americanos qual é o sonho americano, eles responderão "ser dono de uma casa". Seja inquilino ou proprietário, a maioria deles passa muito tempo em casa e gosta de receber visitas. Este capítulo apresenta a típica casa americana e lhe ensina a mantê-la limpa e em boas condições. Também mostro como se registrar em um hotel quando estiver viajando.

A Casa e o Lar

Geralmente, os americanos utilizam a palavra **house** (*haus;* casa) para descrever a estrutura física, como em **I live in a house** (*ai liv in a haus;* Moro em uma casa). Mas diga **I'm going home** (*aim go-ing ho-um;* Estou indo para casa (lar)) ou **Welcome to my home** (*uél-com tchu mai ho-um;* Bem-vindo à minha casa (lar)) para se referir ao seu refúgio pessoal, um lugar para relaxar e rejuvenescer. Estes são alguns dos tipos de moradia que as pessoas chamam de lar:

154   Guia de Conversação Inglês para Leigos

- **Apartment** (*a-part-ment*; apartamento)
- **Condominium** (*con-do-mi-nium*; condomínio)
- **Mobile home** (*mou-bil ho-um*; casa móvel)

Abra a porta e entre em uma típica **residence** (*re-si-dens*; residência) americana, onde, dependendo do tamanho, você encontrará estes itens:

- **Bedroom** (*béd-ru-um*; quarto)
- **Bathroom** (*Beth-ru-um*; banheiro)
- **Den** (*den;* estúdio) ou **family room** (*fe-mi-li ru-um*; sala da família)
- **Dinning room** (*dain-in ru-um*; sala de jantar)
- **Kitchen** (*ki-tchen*; cozinha)
- **Living room** (*liv-in ru-um*; sala de estar)
- **Office** (*ó-fis*; escritório)
- **Utility room** (*iu-ti-li-ty ru-um*; lavanderia)
- **Hall** (*Hól*; corredor)
- **Stairs** (*stérs*; escadas)
- **Second floor** (*sé-cond flór*; segundo andar)
- **Basement** (*beis-ment*; porão)
- **Porch** (*pór-tch*; varanda)
- **Deck** (*dék*; terraço)
- **Patio** (*pa-ti-o;* pátio)
- **Yard** (*iard*; jardim)

Nos Estados Unidos, o andar da casa ou do edifício que está no nível da rua se chama **first floor** (*fârst flór*; primeiro andar) ou **ground floor** (*graund flór*; térreo), e o segundo nível é o **second floor** (*sé-cond flór*; segundo andar), seguido pelo **third floor** (*thârd flór*; terceiro andar) e assim por diante.

Estas são listas do que você pode encontrar em uma casa, começando pelos móveis da cozinha:

Capítulo 10: Um Lugar para Descansar   *155*

- **Cabinets** (*québ-nets*; armários)
- **Microwave** (*mai-cro-ueiv*; micro-ondas)
- **Refrigerator** (*re-fri-dji-rei-tor*; geladeira)
- **Sink** (*sink*; pia)
- **Stove** (*stouv*; forno)

Móveis da sala de estar:

- **Hutch** (*hâtch*; cristaleira)
- **Table and chairs** (*tei-bl end tchérs*; mesa e cadeiras)

Na sala você vai encontrar:

- **Armchair** (*arm-tchér*; poltrona)
- **Coffee table** (*có-fi tei-bl*; mesa de centro)
- **Couch** (*cautch*; sofá)
- **Desk** (*désk*; escrivaninha)
- **End table** (*end tei-bl*; mesinha de canto)
- **Fireplace** (*faire pleis*; lareira)
- **Lamp** (*lemp*; abajur)

Móveis do quarto:

- **Bed** (*béd*; cama)
- **Closet** (*clo-set*; armário)
- **Dresser** (*drés-ser*; cômoda)

No banheiro está:

- **Bathtub** (*béth-tâb;* banheira)
- **Shower** (*chau-er*; chuveiro)
- **Sink** (*sink*; pia)
- **Toilet** (*toi-let;*/ vaso sanitário)

156   Guia de Conversação Inglês para Leigos

Se você quiser descrever a sua casa, é bom usar preposições de espaço ou localização. Elas indicam o lugar exato em que se encontram os objetos em relação a um ponto. Por exemplo: a preposição **on** (*on*; em, sobre) na oração **The cat is on the sofa** (*dhe két is on dhe sou-fa*; O gato está no sofá) informa o lugar exato em que se encontra o gato: sobre o sofá. Estas são algumas das preposições de localização que é bom conhecer:

- ✔ **Above** (*a-bôv*; em cima)
- ✔ **Against** (*a-guenst*; junto com)
- ✔ **Behind** (*bi-haind*; atrás)
- ✔ **Below** (*bi-lou*; em baixo)
- ✔ **Beside** (*bi-said*; ao lado)
- ✔ **In** (*in*/ em) ou **inside of** (*in-said óf*; dentro de)
- ✔ **In front of** (*in front óf*; na frente de)
- ✔ **Near** (*ni-ar*; próximo)
- ✔ **Next to** (*nékst tchu*; ao lado de)
- ✔ **On** (*on*/ em, sobre) ou **on the top of** (*on dhe top óf*; sobre)
- ✔ **Under** (*ân-der*/ debaixo de) ou **underneath** (*ân-der nith*; debaixo de)

Caso uma amiga peça para que a ajude a reorganizar sua **furniture** (*fâr-ni-tchâr*; mobília), você terá que conhecer algumas preposições de localização para que o tapete fique embaixo e não sobre a mesa de centro. Estas são algumas das frases que você pode dizer à sua amiga, em especial, se é ela quem ordena e você quem trabalha.

- ✔ **Move the couch against the wall**. (*mu-uv dhe cautch a-guenst dhe uól*; Coloque o sofá contra a parede.)
- ✔ **Put the table near the window.** (*put dhe tei-bl ni-ar dhe uin-dou*; Coloque a mesa perto da janela.)
- ✔ **Lay the rug in front of the door** (*lei dhe rãg in front óf dhe dór;* Coloque o tapete na frente da porta.)
- ✔ **Tired? Sit down on the couch**. (*tái-êrd sit daun on dhe cautch* Está cansado? Sente-se no sofá.)

Capítulo 10: Um Lugar para Descansar   *157*

Bem-vindos: visita

Quando os americanos dizem **Come over sometime** (*câm o-ver sâm-taim*; Venha fazer uma visita), não estão fazendo um convite formal para que os visite. Esta frase é uma expressão de amizade e uma indicação que a pessoa talvez o convide no futuro. Um convite formal inclui a data e a hora específica. Por exemplo:

- ✔ **Can you come to my house for dinner next Tuesday?** (*ken iu câm tchu mai haus fór di-ner nékst tchu-us-dei*; Você pode vir na minha casa para jantar na terça-feira?)
- ✔ **We'd like to have you over for dinner. How about this Saturday?** (*ui-id laik tchu hév iu o-ver fór di-ner hau a-baut dhis sa-tur-dei*; Gostaríamos de convidá-lo para jantar. Pode ser no sábado?)

Você pode responder:

- ✔ **Thank you. That would be great.** (*thenk iu dhét u-uld bi greit*; Obrigado. Seria ótimo!)
- ✔ **I'd love to come. Thank you.** (*aid lâv tchu câm thenk iu*; Eu adoraria ir. Obrigado.)

Palavras a Saber

To invite	(*tchu in-vait*)	Convidar
Invitation	(*in-vi-tei-chion*)	Convite
To visit	(*tchu vi-sit*)	Visitar
Guest	(*guést*)	Convidado
Host	(*houst*)	Anfitrião
Welcome	(*uél-câm*)	Bem-vindo
Gift	(*guift*)	Presente

158 Guia de Conversação Inglês para Leigos

Quando você é o **guest** (*guést*; convidado) na casa de alguém, é de bom tom levar um **gift** (*guift*; presente) para o anfitrião. Não é necessário, mas é muito bem-vindo.

Quando o convite não é muito formal, você pode levar doces para a sobremesa, flores, vinho ou uma boa cerveja. Quando for entregar pode dizer:

- ✔ **This is for you.** (*dhis is fór iu*; Isto é para você.)
- ✔ **I brought something.** (*ai brót sâm-thing*; Comprei uma coisinha.)

Caso for ficar para passar a noite ou um tempo na casa de alguém, é recomendável levar um presente melhor ou enviar um **thank-you gift** (*thenk iu guift*; presente de agradecimento) depois de ir embora.

Limpeza e Consertos na Casa

Poucas pessoas gostam de fazer **housework** (*haus uork*; tarefas domésticas) ou **home repairs** (*ho-um ri-pérs*; consertos em casa), mas alguém tem que fazer esse trabalho. As frases seguintes irão ajudá-lo a se manter ocupado.

A limpeza

Quando estiver pronto para fazer a limpeza (ou quando encontrar alguém que faça por você), use as seguintes expressões para as tarefas básicas:

- ✔ **Clean the bathroom** (*cli-in dhe béth-ru-um*; limpar o banheiro)
- ✔ **Scrub the toilet** (*scrâb dhe toi-let*; limpar a privada)
- ✔ **Vacuum the carpets** (*va-cu-um dhe car-pets;/* aspirar os tapetes)
- ✔ **Mop the floors** (*mop dhe flórs*; esfregar o chão)

Capítulo 10: Um Lugar para Descansar 159

- **Wash the dishes** (*uósh dhe di-ches*; lavar a louça)
- **Dust the furniture** (*dust dhe fâr-ni-tchur*; tirar o pó dos móveis)
- **Wash the windows** (*uósh dhe uin-dous*; limpar as janelas)
- **Do the dishes** (*du dhe di-ches*; lavar a louça)
- **Do the laudry** (*du dhe lon-dri*; lavar roupa)
- **Do the ironing** (*du dhe ai-ro-nin*; passar roupa)
- **Make the beds** (*meik the beds*; arrumar as camas)
- **Make a meal** (*meik a mi-al*; fazer ou preparar a comida)

Você mesmo pode fazer as tarefas domésticas e **yard work** (*iard uork*; jardinagem) ou pode contratar alguém para fazer. É bom conhecer os nomes de algumas ferramentas e produtos básicos, sobretudo quando quiser pedir emprestado o ancinho para o seu vizinho! Estes são os nomes de alguns itens para limpar dentro de casa:

- **Broom** (*bru-um*; vassoura)
- **Mop** (*mop*; esfregão)
- **Dishcloth** (*dich-clóth*; pano de prato)
- **Dish towel** (*dich tau-el*; pano de prato)
- **Dishwasher** (*dich-uócher*; lava-louças)
- **Detergent** (*de-ter-djent*; detergente)
- **Washer** (*uó-sher*; lavadora)
- **Dryer** (*drai-er*; secadora)
- **Furniture polish** (*fâr-ni-tchur po-lish*; lustra móveis)
- **Cleanser** (*cli-in-ser*; limpador)

As ferramentas seguintes são úteis para o **garden work**:

- **Lawn mower** (*lón mo-uer*; cortador de grama)
- **Garden hose** (*garden ho-us;* magueira)

160 Guia de Conversação Inglês para Leigos

- **Rake** (*reik*; ancinho)
- **Clippers** (*cli-pers;* cortador)

Como resolver problemas e fazer consertos

Está chovendo o dia inteiro, e para completar, não chove apenas lá fora, está **dripping** (*dri-ping*; gotejando) no tapete também! É hora de pedir ajuda.

Se você mora de aluguel, chame o **landlord** (*lend-lord*; proprietário) ou a **landlady** (*lend-lei-di*; proprietária). Mas se você for o dono, terá que pedir ajuda para uma das seguintes pessoas:

- **Electrician** (*i-lec-tri-chian*; eletricista)
- **Plumber** (*plâ-mer*; encanador)
- **Repair person** (*ri-péir pér-son*; pessoa que faz vários tipos de reparos)
- **Roofer** (*ru-uf-er*; pessoa que conserta o telhado)

Quando a sua casa estiver se transfornando em um lago, e você tiver chamado o **plumber** (ou o **landlord**), você vai querer descrever o problema rapidamente e de maneira clara. As seguintes frases o ajudarão a explicar a situação:

- **The roof is leaking.** (*dhe ru-uf is li-ikin*; Tem goteira no telhado.)
- **The drain is clogged.** (*dhe drêin is clógt*; O cano está entupido.)
- **The toilet has overflowed.** (*dhe toi-let hés o-ver flo-ud*; A privada está transbordando.)
- **The light switch doesn't work.** (*dhe lait suitch dâ-sent uork*; O interruptor de luz não funciona.)

Talvez você seja um gênio para consertar coisas ou está querendo poupar dinheiro, então pode fazer você mesmo. Neste caso a **hardware store** (*hard uér stór*; loja de ferramentas) tem tudo o que você precisa. Você pode conseguir as **tools** (*tu-uls*; ferramentas) de que precisa, dicas do ven-

Capítulo 10: Um Lugar para Descansar   *161*

dedor e até um livro de consertos "faça você mesmo" para que possa realizar o serviço:

- ✔ **Wrench** (*rentch*; chave inglesa)
- ✔ **Pliers** (*plai-ers*; pinças)
- ✔ **Screwdriver** (*scru-u drai-ver*; chave de fenda)
- ✔ **Screws** (*scru-us*; parafusos)
- ✔ **Hammer** (*hem-mer*; martelo)
- ✔ **Nails** (*neils*; pregos)
- ✔ **Caulking** (*ko-king*; cola)
- ✔ **Masking tape** (*mês-kin teip*; fita adesiva)

Uma Noite Fora de Casa

Quando não puder ficar em casa, talvez seja preciso passar a noite em um **hotel** (*hou-tel*; hotel). Esta seção lhe ensina as frases que você precisa conhecer para ficar no hotel sem problemas.

As reservas

Caso queira ter certeza de que vai ter um lugar onde passar a noite (coisa que a maioria das pessoas querem depois de um longo dia de viagem), você deve reservar um quarto alguns dias antes da sua chegada. A maioria dos hotéis e pousadas tem **toll-free numbers** (*tol fri-i nâm-bers*; números telefônicos gratuitos) – que geralmente são 1-800 – que você pode usar para telefonar com antecipação e fazer sua reserva.

As frases a seguir o ajudarão a começar o processo de reserva:

- ✔ **I'd like to make a reservation for June 15.** (*aid laik tchu meik a re-ser-vei-chion fór djun fif-ti-in*; Gostaria de fazer uma reserva para o dia 15 de junho.)
- ✔ **Do you have any vacancies for the night of July 8?** (*du iu hév e-ni vei-can-cis fór dhe nait óf dju-lai eit*; Você tem vagas para a noite de 8 de julho?)

162 **Guia de Conversação Inglês para Leigos**

> ✒ **I'd like to reserve a room for two people for August 22.** (*aid laik tchu re-zârv a ru-um fór tchu pi-pou fór ó-gust tuen-ti tchu-u*; Gostaria de reservar um quarto para duas pessoas para o dia 22 de agosto.)

Consulte o capítulo 3 para obter mais informações sobre como dizer as datas.

Para finalizar a sua reserva, o hotel precisa saber as seguintes informações?

> ✒ **Arrival date** (*a-rai-val deit*; data de chegada)
> ✒ **Departure date** (*di-par-tchur deit*; data de saída)
> ✒ **Number of people staying in the room** (*nâm-ber óf pi-pol stei-in in dhe ru-um*; número de pessoas que vão ocupar o quarto)
> ✒ **Credit card number** (*crê-dit card nâm-ber*; número do cartão de crédito)
> ✒ **Special needs** (*spe-chial ni-ids*; necessidades especiais) como **cribs** (*cribs*; berços), **Wheel chair accessibility** (*huil tchér ak-sesi-bi-li-ti*; acesso a cadeira de rodas) e **dietary needs** (*daie-té-ri ni-ids*; dietas especiais)

Se você esperar para chegar ao lugar para conseguir um lugar para ficar, pode pedir para as pessoas que moram ali recomendarem um hotel, ir ao centro de informações turísticas, ou procurar você mesmo. Ao ver uma placa que diz **vacancy** (*vei-can-ci*; vaga), é porque há quartos disponíveis. Mas uma placa de **no vacancy** (*nou vei-can-ci*; sem vagas) significa que você tem que buscar outro lugar porque o hotel está cheio ou **booked** (*bukt*; totalmente reservado). Se não vir nenhuma placa, entre e pergunte: **Do you have any vacancies** (*du iu hév e-ni vei-can-cis*; Você tem quartos disponíveis?)

Capítulo 10: Um Lugar para Descansar 163

Palavras a Saber

Reservation	(re-ser-vei-chion)	Reserva
Arrival	(a-rai-val)	Chegada
Vacancy	(vei-can-ci)	Vaga
A room	(a ru-um)	Um quarto
Queen-size bed	(kui-in saiz béd)	Cama tamanho Queen-size
King-size bed	(king saiz béd)	Cama tamanho king-size

Os americanos utilizam as palavras **ma'am** (*ma--am*; senhora) e **sir** (*sãr*; senhor) como termos de cortesia e respeito. É comum que as pessoas que prestam serviços falem assim com você. O termo **miss** (*mis*; senhorita) é utilizado para se referir a uma menina ou senhorita.

O registro

A hora do **check-in** (*tchék in*; registro) na maioria dos hotéis e pousadas é por volta das 14h ou 15h. É claro que é possível entrar a qualquer hora, mas não é garantido que o quarto esteja pronto antes da hora estabelecida.

A **front desk** (*front désk*; recepção) é, geralmente, um bom lugar para encontrar informações sobre a região que você está visitando, como mapas, folhetos de restaurantes, museus e outros pontos de interesse. O pessoal do hotel responderá com prazer às suas perguntas e podem até dar sugestões. Também é a eles que você deve pedir ajuda caso necessite de alguma coisa – **extra towels** (*ékstra tauels*; toa-

164 Guia de Conversação Inglês para Leigos

lhas extras), um **hairdryer** (*hér-draier*; secador de cabelo), um **iron** (*ai-ron*; ferro de passar roupas) etc.

Palavras a Saber		
Front desk	(*front désk*)	Recepção
A tip	(*a tip*)	Gorjeta
Porter	(*pór-ter*)	Porteiro, carregador
Bellhop	(*bél-hop*)	Carregador de malas
Luggage	(*lâ-guedj*)	Bagagem
Bags	(*bégs*)	Malas
Suitcase	(*sut-keis*)	Maleta

Acostume-se a dar gorjeta ao pessoal do hotel. Se o serviço for excelente, pode deixar uma **tip** (*tip*/gorjeta) generosa, mas lembre-se de que não fazer isso é considerado falta de educação e grosseria. Estes são alguns dos conselhos sobre para quem dar a gorjeta e quanto.

- **Porter/bellhop** (*pór-ter/bel-hop*; carregadores de mala): $1 por mala
- **Valet attendant** (*va-lê a-ten-dent*; manobrista): $2-$5
- **Housekeeper/maid** (*haus-ki-ip-er/meid*; camareira): $1-$2 ao dia
- **Room service** (*ru-um sâr-vi-ce*; serviço de quarto): 15% de gorjeta inclusa/ $1 para a pessoa que te serve

Registro de saída

Na maioria dos hotéis, a hora do **check-out** (t*chék aut*/registro de saída) é das 11h ao meio-dia. Neste momento, paga-se a conta, que inclui os serviços adicionais que você utilizou. Depois do registro de saída, se não quiser ir embora de imediato, pode deixar sua bagagem na área da recepção ou em uma área especial.

166 Guia de Conversação Inglês para Leigos

Capítulo 11

Como Enfrentar as Emergências

* *

Neste capítulo
▶ Conseguindo ajuda rapidamente
▶ Como enfrentar as emergências e os perigos
▶ Descrição dos problemas de saúde

* *

*N*ão é divertido pensar em emergências médicas ou legais, e você deve estar querendo que este capítulo termine logo. Porém, sempre é melhor prevenir do que lamentar. A seguir, mostro palavras e frases chave para que você possa enfrentar qualquer tipo de situação inesperada ou repentina, como desastres naturais, acidentes, problemas de saúde e emergências legais.

Como Agir diante de uma Emergência

Certamente você não está livre de pequenas **emergencies** (*i--mer-djen-sis*; emergências) da vida, como um pneu furado, uma criança com os joelhos ralados e a perda das chaves de casa. Mas as emergências importantes, como as situações **lifethreatening** (*laif thret-en-in*; de vida ou morte) e os **natural disasters** (*né-tchu-ral dis-as-ters*; desastres naturais) felizmente são mais raros, você pode se sentir menos preparado para enfrentar coisas como:

168 Guia de Conversação Inglês para Leigos

- **Accident** (*ék-si-dent*; acidente)
- **Earthquake** (*ârth-kueik*; terremoto)
- **Fire** (*fai-er*; incêndio)
- **Flood** (*flâd*; inundação)
- **Hurricane** (*Hâr-i-kein;* furacão)
- **Robbery** (*ro-ber-i*; roubo)
- **Tornado** (tor-nei-do; tornado)

Pedindo ajuda e advertindo os outros

Quando precisar de ajuda urgentemente, você não vai ter tempo de buscar o dicionário, assim, memorize as seguintes palavras de emergência – e sempre as tenha em mão!

- **Help**! (*hélp*; Ajuda!)
- **Help me!** (*hélp mi*; Ajude-me!)
- **Fire!** (*fai-er*; Fogo!)
- **Call the police!** (*cól dhe po-lis*; Chame a polícia!)
- **Get an ambulance**! (*guét an am-biu-lans*; Chame uma ambulância!)

Se você tiver que **warn** (*uarn*; advertir) outras pessoas de um **danger** (dein-djer; perigo) iminente, estas expressões o ajudarão a alarmar rapidamente:

- **Look out**! (*luk aut*; Cuidado!)
- **Watch out!** (*uótch aut*; Cuidado!)
- **Get back**! (*guét bék*; Volte!)
- **Run**! (*rân*; Corre!)

Quando não tiver tempo a perder e for importante que as coisas sejam rápidas, você pode acrescentar uma destas palavras para mobilizar as pessoas:

Capítulo 11: Como Enfrentar as Emergências   *169*

- ✔ **Quick**! (*kuik*; Rápido!)
- ✔ **Hurry**! (*hâ-ri*; Depressa!)
- ✔ **Faster**! (*fés-ter*; Mais rápido!)

Palavras a Saber

Emergency	(*i-mer-djen-ci*)	Emergência
To warn	(*tchu uórn*)	Avisar
To help	(*tchu hélp*)	Ajudar
To faint	(*tchu feint*)	Desmaiar
danger	(*den-djer*)	Perigo
Injury	(*in-dju-ri*)	Ferimento

Discando o 911

Nos Estados Unidos, o número que você tem que discar em caso de emergência é o **911** (*nain uân uân*; nove um um). Esse é o número que coloca você em contato com um **dispatcher** (*dis-pétch-er*; atendente) que recebe a informação e a envia para a polícia, aos bombeiros ou a uma ambulância. Se discar o 911, o atendente vai perguntar para você o lugar da emergência, o número do telefone do qual está chamando e se há feridos.

Palavras a Saber

To report	(*tchu ri-port*)	Relatar
911	(*nain uân uân*)	911 (número de emergências)

(continua)

170 Guia de Conversação Inglês para Leigos

Help!	(*hélp*)	Ajuda!
Police	(*po-lis*)	Polícia
Fire department	(*fai-er di-part-ment*)	Departamento dos bombeiros
ambulance	(*am-biu-lans*)	Ambulância

Com o Médico

Estar **sick** (*sik*; doente) ou **injured** (*in-djurd*; ferido) não é agradável, talvez você precise de ajuda ou **treatment** (*tri-it--ment*/tratamento) médico. Se sua **condition** (*con-di-chion; doença*) não é grave, então há tempo para pedir a um amigo, a um colega ou até mesmo a uma pessoa da recepção do hotel que lhe recomende um médico. Utilize uma das seguintes frases:

- ✔ **Do you know a good doctor?** (*du iu nou a gud dóc-tor*; Você conhece um bom médico?)
- ✔ **Can you recommend a doctor?** (*Ken iu ré-com-mend a dóc-tor*; Pode me recomendar um médico?)

Espero que você nunca precise de ajuda médica urgente, mas, caso precise, estas frases ajudarão:

- ✔ **I feel sick**. (*ai fi-il sik;* Me sinto mal.)
- ✔ **I'm injured**. (*aim in-djurd*; Estou ferido.)
- ✔ **I need a doctor.** (*ai nid a dóc-tor*; Preciso de um médico.)
- ✔ **Please call a doctor.** (*pli-is cól a dóc-tor*; Por favor, ligue para um médico.)

Talvez você esteja bem, mas outra pessoa pode estar doente ou ferido. É assim que você pode perguntar o que está acontecendo:

Capítulo 11: Como Enfrentar as Emergências *171*

- **What's wrong**?(*uáts rong*; O que você tem?)
- **What's the matter?** (*uáts dhe mé-ter*; Qual é o problema?)
- **What happened?** (*uát hé-pend*; O que aconteceu?)

Palavras a Saber

Doctor	(*dóc-tor*)	Médico
Physician	(*fi-si-chian*)	Médico
Clinic	(*cli-nik*)	Clínica
Walk-in clinics	(*uolk in cli-niks*)	Clínica sem hora marcada
24-hours medical clinics	(*tuen-ti fór aurs me-di-cal cli-niks*)	Clínica médica 24 horas
Hospital	(*hos-pi-tal*)	Hospital
Emergency room	(*i-mer-djen-ci ru-um*)	Sala de emergência
Injury	(*in-dju-rí*)	Ferida
Sick	(*sik*)	Doente

Onde dói?

Quando o médico perguntar **Where does it hurt?** (*uér dâs it hârt;* O que dói?) ou **Where is the pain?** (*uér is dhe pein*; Onde está doendo?) é necessário saber os nomes das partes do corpo afetadas e como pronunciá-las. Observe a seguinte lista:

Para a **head and face** (*héd end feis*; cabeça e rosto):

- **Cheeks** (*tchi-iks*; bochechas)
- **Chin** (*tchin*; queixo)

172   Guia de Conversação Inglês para Leigos

- **Ear** (*i-ar*; orelha)
- **Forehead** (*fór-héd*; testa)
- **Lips** (*lips*; lábios)
- **Mouth** (*mauth*; boca)
- **Nose** (*no-uz*; nariz)
- **Neck** (*nék*; pescoço)

Para o **torso** (*tor-so*/ tronco):

- **Back** (*bék*; costas)
- **Chest** (*chést*; peito)
- **Hip** (*hip*; quadril)
- **Shoulders** (*chol-ders*; ombros)
- **Stomach** (*stou-mak*; estômago)

Para os **limbs** (*limbs*; os membros)

- **Arms** (*arms*; braços)
- **Elbow** (*él-bou*; cotovelo)
- **Hand** (*hend*; mão)
- **Finger** (*fin-guer*; dedo)

- **Knee** (*ni-i*; joelho)
- **Leg** (*lég*; perna)
- **Thigh** (*thai*; coxa)
- **Foot** (*fut*; pé)
- **Toe** (*tou*; dedo do pé)

Algumas pessoas dizem que a beleza é superficial, mas é debaixo da pele que está a beleza do funcionamento interno do corpo: o sangue, os ossos e os **organs** (*ór-gans*; órgãos):

Capítulo 11: Como Enfrentar as Emergências 173

- **Insides** (*in-saids*; entranhas)
- **Artery** (*ar-ter-i*; artéria)
- **Blood** (*blâd*; sangue)
- **Bone** (*boun;* osso)
- **Heart** (*Hart*; coração)
- **Intestine** (*in-tes-tin*; intestino)
- **Kidney** (*kid-ni*; rim)
- **Liver** (*li-ver*; fígado)
- **Lung** (*lâng*; pulmão)
- **Muscle** (*mâsse*; músculo)
- **Vein** (*vein*; veia)

No inglês há várias expressões idiomáticas que incluem partes do corpo. Por exemplo: **to foot the bill** (*tchu fut dhe bil*; colocar o pé na conta) significa ser a pessoa que paga a conta de mais alguém; e **to have a heart** (*tchu hév a hart*; ter um coração) é usada para encorajar alguém para ter mais compaixão. Outra expressão idiomática engraçada, que poderia muito bem fazer referência ao custo da consulta médica, é **to cost an arm and a leg** (*tchu cost an arm end a lég*; custar um braço e uma perna.)

Mal estar e dores: Descrição de sintomas

A habilidade para descrever **symptoms** (*sim-toms*; simtomas) pode ajudar ao médico a dar-lhe o **diagnosis** (*daí-ag-nou-sis*; diagnóstico) e o tratamento corretos.

Estas "dolorosas" palavras ajudarão a dizer ao médico o que está acontecendo:

- **Broken bone** (*brou-ken boun*; osso quebrado)
- **Burn** (*bârn*; queimadura)
- **Cramp** (*crémp*; câimbra)
- **Cut** (*cât*; corte)
- **Diarrhea** (*dai-a-ri-a;* diarréia)
- **Dizzy** (*di-zi*; tontura)
- **Fever** (*fi-ver*; febre)
- **Food poisoning** (*fud poi-son-in*; intoxicação alimentar)
- **Nauseated** (*no-ziei-ted*; com náusea)
- **Scratch** (*scrétch*; arranhão)
- **Sore throat** (*sór throut*; dor de garganta)
- **Sprain** (*sprein*; torção)
- **Earache** (*i-âr-eik*; dor de ouvido)
- **Headache** (*héd-eik*; dor de cabeça)
- **Stomachache** (*sto-mac-eik*; dor de estômago)

Pronuncie o **ch** (che) de **ache** como **k** (ka) e diga pronuncie o **a** (a) com som de **ei**. Veja o Capítulo 1 para obter detalhes sobre os sons de vogais e pronúncia.

Abra a Boca: Visita ao Dentista

Use as seguintes frases para explicar ao **dentist** (*den-tist/* dentista) o motivo da sua visita:

- **My teeth need cleaning.** (*mai ti-ith ni-id cli-ith-nin*; Preciso de uma limpeza bucal.)
- **I have a toothache**. (*ai hév a tu-uth-eik*; Estou com dor de dente.)
- **I have a cavity**. (*ai hév a ca-vi-ti*; Tenho cáries.)
- **I broke a tooth**. (ai *bro-uk a tu-uth*; Quebrei um dente.)

Capítulo 11: Como Enfrentar as Emergências *175*

- ✔ **I lost a filling.** (*ai lost a fil-ing*; Caiu uma obturação.)
- ✔ **My crown came off.** (*mai craun keim óf*; Minha coroa caiu.)
- ✔ **My dentures hurt my mouth.** (*mai den-tchurs hârt mai mauth*; Minha dentadura está machucando minha boca.)

O dentista pode sugerir os seguintes tratamentos:

- ✔ **I'll have to pull this tooth.** (*ál hév tchu pu-ul dhis tu--uth*; Vou ter que tirar este dente.)
- ✔ **I can make you a bridge**. (*ai ken meik iu a bridj*; Posso fazer uma ponte.)
- ✔ **I can replace your filling.** (*ai ken ri-pleis iór fil-ing*; Posso repor sua obturação.)
- ✔ **I can recement your crown.** (*ai ken ri-ci-ment iór craun*; Posso recolocar sua nova coroa.)
- ✔ **I can adjust your dentures.** (*ai ken a-djâst iór den--tchurs*; Posso ajustar a sua dentadura)

Quando Há um Crime

É claro que você não quer pensar em **crime** (*craim*; crime) quando está viajando e se divertindo. Mas lembre-se de que a liberdade de viajar pode dar uma ideia falsa de segurança. E, como estrangeiro, é mais fácil determinar quais situações podem ser potencialmente **dangerous** (*dein-djer-âs*; perigosas).

Se precisar pedir para alguém se afastar de você ou deixá-lo em paz, fale com convicção, e diga em voz alta:

- ✔ **Go away**! (*gou a-uei*; Vá embora!)
- ✔ **Get away**! (*guét a-uei*; Sai!)
- ✔ **Stop!** (*stop*; Pare!)

176 Guia de Conversação Inglês para Leigos

Palavras a Saber

Rights	(raits)	Direitos
Law	(ló)	Lei
Lawyer	(ló-ier)	Advogado
Attorney	(a-tôr-ní)	Advogado
Crime	(craim)	Crime
Suspect	(sâs-péct)	Suspeito
Stop!	(stop)	Pare!

Capítulo 12

Dez Erros para Evitar
ao Falar Inglês

* *

Neste capítulo
▶ Cuidado com o que você diz
▶ Para não cair no ridículo
▶ Correção de erros gramaticais

* *

Às vezes o menor erro pode provocar o maior (e mais engraçado) mal-entendido. Mas não se preocupe, apenas
diga **Oops! What did I say wrong?** (*u-ups uát did ai sei rong*;
Ops! O que eu disse de errado?). Com sorte alguém dirá seu
erro e você vai poder rir das armadilhas do idioma. Este capítulo fala sobre alguns erros mais comuns que devem ser evitados.

Making Out at the Gym

Em uma ocasião, o esposo de minha amiga, que é estrangeiro, disse que ia para academia **to make ou**t (*tchu meik aut*),
que em inglês significa "beijar muito e apaixonadamente" (e
talvez até um pouco mais do que isso). Ela estava mais in-
trigada que ciumenta. "Ah é?, ela perguntou, E com quem?"
"Com meus amigos" respondeu tranquilamente. Como ela
estava acostumada com esses erros, entendeu que o que
ele queria dizer (ou pelo menos esperava) era que ele ia à

178 **Guia de Conversação Inglês para Leigos**

academia para **work out** (*uork aut*) isto é, fazer exercícios físicos. Portanto, se você quiser **work out,** vá a uma academia; se quiser **make out**, talvez você deva se esconder em um lugar um pouco mais íntimo!

Your Wife Is Very Homely

Um turista estrangeiro que agradecia ao seu anfitrião por tê-lo convidado para jantar em sua casa, disse: **Your wife is very homely** (*iór uaif is vé-ri ho-um-li*; Sua mulher é muito feia). Perdão? Bom, talvez esteja certo, mas pelo que sei é uma falta de respeito (e um pouco inconveniente). Por quê? Porque **homely** significa "carente de beleza" ou "feia"!

O convidado queria dizer **homey** (*hou-mi*), que significa "agradável", "pacato" e "caseiro". Mas dizer isso para alguém também não é correto. Uma casa e não uma pessoa pode ser **homey**. Uma pessoa pode ser uma boa **homemaker** (*ho-um mei-ker*; dona de casa) ou ter a casa bonita ou agradável. Assim, evite cometer esse erro, e certamente será convidado para voltar a jantar (e evita um possível soco no nariz!).

You Smell!

Falar dos cinco sentidos é muito simples, mas tenha cuidado. Tudo bem dizer **I see** (*ai si-i*; Eu vejo) quando entende algo e **I heard** (*ai hârd*; Eu ouvi) quando estiver inteirado de uma notícia. Mas se disser **I smell** (*ai smél*; Eu cheiro) as pessoas se afastarão e talvez sugiram que tome um banho! **I smell** significa "com mau cheiro" ou "fedido!". Se você gosta do perfume de alguém e falar **you smell** (*iu smél*; Você fede) o elogio se torna falta de respeito e arruinará sua reunião.

Você deve dizer **I smell something good** (*ai smél sâm-thing gud;*/ Sinto um cheiro bom) ou **Something smells bad** (*sâm-thing sméls béd*; Alguma coisa cheira mal). Se você gosta do

Capítulo 12: Dez Erros para Evitar ao Falar Inglês *179*

cheiro do perfume ou da loção de alguém, diga **you smell nice** (*iu smél nais*; Que cheiro bom!). Mais um conselho: quando não puder respirar por causa de um resfriado, não diga **I smell bad** (*ai smél béd*/ Eu cheiro mal). Em seu lugar diga **I can't breath well** (*ai Két brith uél*; Não consigo respirar bem). É claro que se estiver fazendo exercícios físicos durante uma hora, dizer **I smell** caberia muito bem!

My Mom Cooks My Friends For Dinner

Seus amigos evitam visitar sua casa? Talvez você esteja cometendo um erro quando os convida a jantar. Eis o que tenho escutado de alguns estudantes **My mom will cook us** (*mai mom uil cuk ás*; Minha mãe vai nos cozinhar) e **She likes to cook my friends for dinner** (*chi laiks tchu cu-uk mai frens fór di-ner*; Ela gosta de cozinhar meus amigos para o jantar). "Verdade?" "E também te come?". Você pode cozinhar um frango, algumas verduras, ou um prato, mas nunca cozinhar seus filhos!

O que meus alunos querem dizer é **My mom will cook for us** (*mai mom uil cu-uk fór ás*; Minha mãe vai cozinhar para nós) e **She likes to cook dinner for my friends** (*chi laiks tchu cu-uk di-ner fór mai frends*; Ela gosta de cozinhar para os meus amigos). Sempre use a preposição **for** (*fór*; para) entre a palavra **cook** e a pessoa que vai comer. O substantivo que segue **cook**, como **dinner** (*di-ner*; jantar), **a steak** (*a steik*; um bife) etc. é o que se cozinha e o que se come. Assim, convide seus amigos para ir à casa de sua mãe para jantar, mas não para comê-los!

Friends and Lovers

Uma aluna coreana muito tímida me apresentou seu amigo dizendo **This is my lover** (*dhis is mai lâ-ver*; Este é meu amante). Como responder quando alguém lhe apresenta a pessoa com a qual tem relações sexuais!? **Lover** (*lâ-ver*; amante) significa companheiro sexual em inglês. Talvez ela falasse a verdade, mas não se revela detalhes íntimos em público!

180 Guia de Conversação Inglês para Leigos

Ela devia ter dito **This is my boyfriend** (*dhis is mai bói--frend*; Este é meu namorado). As palavras **boyfriend** (*boi--frend*; melhor amigo, namorado), **girlfriend** (*gârl-frend*; melhor amiga/ namorada), **sweetheart** (*suit-hart*; namorado/a), **fiancé** (*fi-an-sê*; noivo), **fiancée** (*fi-an-sê*; noiva) descrevem um companheiro ou amigo íntimo, mas **lover** é pessoal. Vários dicionários dão a palavra **lover** como tradução para **boyfriend**, **girlfriend** etc, mas não informam que **lover** implica sexo. Portanto, não use essa palavra a menos que se refira a uma relação sexual.

Por outro lado, se escutar alguém dizendo **I'm a nature lover** (*aim a nei-tchur lâ-ver*; Sou amante da natureza) ou **I'm an animal lover** (*aim an é-ni-mal lâ-ver*; Eu amo animais), não se preocupe, simplesmente quer dizer que a pessoa se importa muito com os animais e a natureza.

I Wet My Pants

Durante uma reunião, um empresário estrangeiro derramou um pouco de refrigerante na sua calça. Ele queria se limpar, assim que se levantou e se desculpou dizendo **Excuse me, I wet my pants** (*Éks-kius mi ai uét mai pents*; Com licença, molhei minha calça). O quê?! Todo mundo virou surpreso. Que vergonha! Talvez ele tenha problemas para controlar a bexiga e precisa usar fralda! Bom, acho que entende o que quero dizer. A expressão **I wet my pants** significa "Fiz xixi nas calças."

Se disser isso, você certamente atrairá muitos olhares humilhantes!

O homem devia ter dito **I got my pants wet with soda** (*ai gót mai pents uét uith sou-da*; Caiu um pouco de refrigerante nas minhas calças) ou **I spilled soda on my pants** (*ai spild sou-da on mai pents*; Derramei refrigerante na minha calça). Da mesma maneira, deve-se evitar falar **I soiled my pants** (*ai soild mai pents*; Eu sujei a minha calça); ao invés disso, diga: **I got**

dirt on my pants (*ai gót dârt on mai pents*; Caiu alguma coisa na minha calça) ou **I got my pants dirty** (*ai gót mai pents dar--ti*; Sujei minha calça).

Where I Leave My Privates

Os erros mais extraordinários acontecem quando se usam palavras equivocadas. Por exemplo, em uma ocasião, durante uma conversa em sala de aula, um aluno disse que gostava de ter seu próprio apartamento, e explicou "**Because I can leave my privates there**" (*bi-cóz ai ken li-iv mai prai-veits dhér*; Porque posso deixar minhas partes íntimas lá). Suas **privates**? Incrível! Não sabia que era possível deixar as partes íntimas em casa, mas se for assim, não se diz isso para toda a classe! É claro que os alunos não tinham ideia do que ele tinha dito. A palavra **privates** é uma forma antiquada e sutil para se referir às partes íntimas de uma pessoa.

O que ele queria dizer era **my private possessions** (*mai prai-veit po-sé-chions*; meus itens pessoais) ou **my personal things** (*mai per-so-nal things*; minhas coisas pessoais). É muito bom poder contar com um lugar em que tudo pode ficar bem guardado!

I Swear!

Talvez lhe interesse aprender alguns **swear words** (*suér uords;* palavrões) em outro idioma. Mas tenha cuidado! É complicado saber exatamente quando e onde pode usá-los e é ainda mais complicado usar **dirty words** (*dâr-ti uords;* palavras sujas). A linguagem das ruas e as letras das músicas estão cheias de palavrões, mas essa linguagem não é usada em outras situações. Inclusive palavras menos fortes como **hell** (*hél*; inferno) e **damn** (*dem/* maldição) podem ofender algumas pessoas e fazê-lo parece pouco sofisticado em algumas situações. Geralmente, é preciso ter vivido em um país por vários anos para saber quando é aceitável usar palavrões.

182   Guia de Conversação Inglês para Leigos

I Love Your Husband

Uma das minhas alunas disse: **"I love your husband"** (*ai lâv iór hâs-band*; Eu amo seu marido). O quê?, disse, Ama meu marido? **"Oops! I mean, I love my own husband"** (*u-ups ai min ai lâv mai oun hâs-band*; Ops, digo, eu amo meu próprio marido), ela disse, enquanto corrigia um erro muito comum. Este é outro erro que escuto com muita frequência: **I will go to my country to visit your parents** (*ai uil gou tchu mai cân-tri tchu vi-sit iór pé-rents*; Vou ao meu país visitar seus pais). Quem? Meus pais? Mas eles ainda vivem aqui nos Estados Unidos.

Neste caso o problema é o uso excessivo do adjetivo possessivo **your** (*iór*; seu/sua) que ajuda a identificar objetos que pertencem à pessoa com quem se fala. Mas **your** é uma palavra que tem vários usos, que se adaptam a qualquer situação. Não se pode usá-lo para fazer referência a algo que lhe pertence ou que pertence a uma terceira pessoa (ele, ela ou isto).

Never Make No Double Negatives

O uso de negativos duplos (dois negativos em uma frase) é aceitável em alguns idiomas e em algumas formas vernáculas do inglês. Mas no inglês padrão os negativos duplos são incorretos, pois é como na matemática, dois negativos formam um positivo. Por exemplo, se você volta de uma loja sem nada, não diga **I didn't buy nothing** (*ai didnt bai nó-thin*; Eu não comprei nada). Isso significa "Comprei algo", que é o oposto do que queria dizer! Duas maneiras de dizer isto corretamente são: **I didn't buy anything** (*ai didnt bai e-ni-thin*; Não comprei nada) ou **I bought nothing** (*ai bót no-thin*; Não comprei nada).

Dois negativos são aceitos em uma frase quando um deles é prefixo. Por exemplo, **I'm not unhappy** (*aim nót ân-hé-pi*;

Capítulo 12: Dez Erros para Evitar ao Falar Inglês   *183*

Não sou infeliz) implica "Sou feliz... ou ao menos contente". Neste caso, os dois negativos dão uma ideia positiva ou neutra, o que está correto, porque é isso que você quer expressar.

184 Guia de Conversação Inglês para Leigos

Capítulo 13

Dez Palavras Que São Confundidas Facilmente

* *

Neste capítulo
- ▶ Regras simples para escolher a palavra certa
- ▶ Encontrando o sentido para os sentidos
- ▶ Distinção entre o som e o significado

* *

O idioma inglês conta com, possivelmente, dois milhões de palavras, e muitas delas podem ser confundidas com outras. Este capítulo lhe dá algumas regras simples para esclarecer a "confusão" de algumas das palavras mais confusas.

Coming e Going

Não sabe se **coming** (*câm-in*; vem) ou se **going** (*gou-in*; vai)? As palavras **come** (*câm*; vir) e **go** (*gou*; ir) causam muitos problemas para as pessoas. Siga estas regras para evitá-los:

> Use **go** para se referir a um lugar no qual você não está no momento em que está falando.

Por exemplo. Se você mora nos Estados Unidos, talvez tenha a seguinte conversa:

186   **Guia de Conversação Inglês para Leigos**

> ✔ **When will go back to your country?** (*uen uil iu gou bék tchu iór caun-tri*; Quando você volta para o seu país?)
>
> ✔ **I plan to go back next month.** (*ai plen tchu gou bék nékst mânth*; Planejo voltar no próximo mês.)

Use **come** para se referir ao lugar de onde você está falando no momento. Por exemplo, talvez tenha esta conversa quando estiver nos Estados Unidos:

> ✔ **Why did you come to U.S.?** (*uai did iu com tchu iu és*; Por que você veio aos Estados Unidos?)
>
> ✔ **I came here for a vacation.** (*ai queim hir fór a vei--quei-chion*; Vim de férias.)

Estas duas ordens comuns o ajudarão a lembrar para onde ir: **Come here!** (*câm hir*; Venha aqui!) e **Go away!** (*gou a-uei;* Sai fora!)

Borrowing e Lending

Precisa de um **loan** (*loun*; empréstimo)? Ou seu amigo está pedindo um? Caso a resposta seja sim, você precisa conhecer a diferenças entre os verbos to **borrow** (*tchu bó-rou*; pedir emprestado) e **lend** (*lend*; emprestar). A cena seguinte o ajudará a entender quem recebe o dinheiro.

Jason tem $100. Seu amigo Sam quer um empréstimo. Sam pode pedir o empréstimo com **borrow** ou **lend**, dependendo da estrutura da pergunta. Mas pode-se determinar que quando Sam fala, usa "**I borrow**" e "**you lend**". Em outras palavras, Sam está **borrowing** (*bó-rou-in*; pedindo emprestado) e Jason está **lending** (*lend-in*; emprestando). Observe o que Sam diz:

Capítulo 13: Dez Palavras Que São Confundidas Facilmente   *187*

- **Hey, Jason, can I borrow $50?** (*hei djei-son ken ai bó-rou fif-ti dó-lars*; Ei Jason, você pode me emprestar cinquenta dólares?)
- **Hey, Jason, can you lend me $50?** (*hei djei-son ken iu lend mi fif-ti dó-lars*; Ei Jason, você pode me emprestar cinquenta dólares?)

Jason também pode responder às perguntas usando **borrow** ou **lend**. Mas quando Jason – **the lender** (*dhe len-der*; quem empresta) – está falando,diz "**you borrow**" e "**I lend**"; Isto é o que Jason diz:

- **Sure, you can borrow $50**. (*châr iu ken bó-rou fif-ti dó-lars*; Claro que você pode pegar emprestado cinquenta dólares.)
- **Sorry, I can't, but I'll lend you $25**. (*só-ri ai kent bût al lend iu tuen-ti faiv dó-lars*; Desculpe, não posso. Mas vou lhe emprestar vinte e cinco dólares.)

Such e So

As palavras **such** (*sâ-tch*; tão) e **so** (*sou* tão) basicamente têm o mesmo significado que a palavra **very** (*vé-ri*; muito), mas não podem ser usadas da mesma maneira que **very** – isso é o que causa confusão. O erro mais comum que as pessoas cometem é usar **so** quando querem dizer **such**.

- **This is such an easy lesson**. (*dhis is sâ-tch an i-si lésson*; Esta é uma lição tão fácil.)
- **This is so easy**. (*dhis is sou i-si*; Isto é tão fácil.)
- **You speak such good English** (*iu spi-ik sâ-tch gud inglish*; Você fala inglês tão bem.)
- **You speak English so well**. (*iu spi-ik ing-lish sou uél*; Você fala inglês tão bem.)

188 Guia de Conversação Inglês para Leigos

Like e Alike

As palavras **like** (*laik*; como) e **alike** (*a-laik*; parecido) têm significados tão parecidos que podem te deixar confuso até descobrir algumas regras rápidas. Observe as diferenças entre **like** e **alike** nas seguintes orações:

> ✔ **I am like my sister.** (*ai em laik mai sis-ter*; Sou como minha irmã.)
>
> ✔ **My sister and I are alike.** (*mai sis-ter end ai ar a-laik*; Minha irmã e eu somos parecidas.)

Like significa "similar a" ou "o mesmo que" e geralmente aparece entre dois objetos ou pessoas que são comparadas (ou seja, **like** segue um objeto). **Alike** significa "similar" ou "o mesmo" e geralmente é escrito depois dos dois objetos ou pessoas que são comparadas, com frequência no final da oração. (A palavra **alike** não segue um objeto.)

Para fazer orações negativas acrescente a palavra **not** (*nót*; não) antes de **like** ou **alike**:

> ✔ **Fish are not like zebras.** (*fich ar nót laik zi-bras*; Os peixes não são como as zebras.)
>
> ✔ **Fish and zebras are not alike.** (*fich end zi-bras ar nót a-laik*; Peixes e zebras não são parecidos.)

Hearing and Listening

Pense em alguma ocasião em que teve que escutar um discurso longo e maçante. Você **heard** (*hârd*; ouviu) o orador, mas no final não lembrava uma só palavra do que havia sido dito porque não estava **listening** (*li-sen-in*; escutando). **Hearing** (*hi-ar-in*; ouvir) é para que os seus ouvidos foram criados. Se não tem problemas de audição, você escuta as palavras de maneira automática. Mas **listening** envolve um esforço consciente para ouvir e dar atenção.

Capítulo 13: Dez Palavras Que São Confundidas Facilmente *189*

Quando você decide "ignorar" um orador maçante, seus ouvidos continuam funcionando, mas não estão escutando.

Se alguém está falando muito baixo ou a ligação está ruim ruim, você dirá **I can't hear you – please speak louder** (*ai kent hi-ar iu pli-is* spi-ik lau-der; não consigo te ouvir, por favor fale mais alto). Se alguém fala com você, mas sua atenção e seus pensamentos estão em outra parte, você dirá **I'm sorry – what did you say? I wasn't listening** (*aim só-ri uát did iu sei ai uá-zant li-sem-in*; Desculpe, o que você disse? Eu não estava escutando).

Seeing, Looking At e Watching

Assim como **hearing**, **seeing** (*si-ing*; ver) é uma função natural do corpo. Seus olhos são criados para isto. Embora sua **vision** (*vi-jion*; visão) não seja perfeita, pode ver claramente com ajuda de óculos ou lentes de contato.

Quando alguém falar **Look at that**! (*luk ét dhét*; Olhe isso!) quer que você dirija seus olhos (e sua atenção) para algo. **Look at** (*luk ét*; olhe) significa ver rapidamente algo ou focar em algo que está fixo. Você pode **look at** uma revista, a tela de um computador ou alguém sentado na sua frente.

Looking (*luk-in*; olhar) se converte em **watching** (*uótchin*; observar) quando observa com atenção algo que pode se mover sozinho. Você pode **watch** (*uótch*; assistir) a um filme, a um jogo de futebol, ou a crianças jogando. Não se pode **watch** uma revista (a menos que você esteja esperando que ela levante e saia. Mas pode **watch** os preços das ações, porque elas estão em constante movimento).

Feeling e Touching

Assim como ouvir e ver, **feeling** (*fi-li-in*; sentir) é uma função natural do corpo. **Touching** (*tâtch-in*; tocar), pelo contrário, é o que você escolhe fazer quando quer **to feel** (*tchu fi-il*; sentir) algo. Se você **touch** (*tâtch*; toca) uma chama, vai

190 Guia de Conversação Inglês para Leigos

sentir calor! Se você **touch** gelo, vai sentir frio. Tocar é um ato voluntário, a menos que, por acidente, você **touch** algo como um ferro quente. Os pais de família que vão às compras com seus filhos podem dizer **Don't touch anything** (*dont tâtch e-ni-thin*; Não toque em nada). Mas não pode dizer **Don't feel anything** (*dont fi-il e-ni-thin*; Não sinta nada), porque sentir é um ato involuntário. Apenas uma pessoa que perdeu o sentido do tato em alguma parte do corpo pode tocar ou ser tocado e não sentir nada

Lying e Laying

Saber quando usar **lie, lying** (*lai*; mentir) ou **lay, laying, lie down** (*lái daun*; deitar) e chorar. Mas não **lay an egg** (*lei an ég*; botar um ovo).. Mentir é outro verbo cujas conjugações são **lie, lying e lied**!

O verbo **lie (lying, lay, lain)** significa:

> ✔ Estar em uma posição reclinada como em **Lie down and go to sleep**. (*lai daun end gou tchu sli-ip*; Deite e durma.)

O verbo **lay (laid, laying, laid)** significa:

> ✔ Colocar um objeto em uma superfície. Exemplo: **Lay the book on the table**. (*lei dhe buk on dhe tei-bl*; Coloque o livro em cima da mesa.)
>
> ✔ Produzir e botar um ovo. Exemplo: **Chickens lay eggs**. (*tchi-kens lei égs*; As galinhas botam ovos.)

Muitos falantes do inglês se enganam com estes dois verbos, então, não se preocupe muito.

Capítulo 13: Dez Palavras Que São Confundidas Facilmente   *191*

Tuesday e Thursday

Tuesday (*tchus-dei*; terça-feira) ou **Thursday** (*thârs-dei*; quinta--feira), qual é qual? Pode parecer que essas palavras soem igual e tenham pronúncia igual, mas na realidade, elas têm pronúncias bem diferentes e, é claro, significados diferentes.

Se **Monday** (*mân-dei*; segunda-feira) é o primeiro dia da semana de trabalho, o segundo dia ou **day two** (*dei tchu*; dia dois) é **Tuesday**. Pronuncie **Tuesday** como o número **two** (*tchu*; dois), e logo acrescente **zz-day** (*ss-dei*). Diga **two-z-day** (*tchu-s dei*). Certifique-se de que o **s** (*és*) em **Tuesday** soa como **z**. Consulte o capítulo 1 para obter mais informações e praticar a pronúncia.

Thursday começa com o som de **th**, não com o som de **t**, como **Tuesday**. (Consulte o capítulo 1 para saber como fazer um som claro de **th**). Se você consegue falar **thirty** (*thâr-ti*; trinta) ou **thirteen** (*thâr-ti-in*; treze), então pode dizer **Thursday**. Não esqueça a parte de **zz-day** (*ss-dei*), como em **Tuesday**. Certifique-se de dizer e pronunciar o **s** como **z**. Caso contrário, dirá a palavra **thirsty** (*thârs-ti*; com sede) e lhe darão um copo de **water** (*uó-ter*; água)!

Too e Very

Algumas pessoas dizem **You can never have too much time or too much money** (*iu ken né-ver hév tchu-u mâ-tch tãim ór tchu-u mâ-tch mâ-ni*; Nunca se tem muito tempo ou muito dinheiro). Isto pode estar certo, mas a palavra **too** (*tchu-u*; demais) implica, geralmente, um excesso não desejado ou um problema. Por exemplo, supondo que você se sinta incomodado se come **too much** (*tchu-u mâ-tch*; demasiado). E as pessoas se queixam quando o clima está **too hot** (*tchu-u hót*; quente demais) ou **too cold** (*tchu-u cold*; frio demais).

Por outro lado, a palavra **very** (*vé-ri*; muito), que significa extremamente ou **really** (*ri-i-li*; realmente), não dá a ideia

192 Guia de Conversação Inglês para Leigos

imediata de um problema. Por exemplo, dizer **It's very hot today** (*its vé-ri hot tchu-dei*; Está muito quente hoje), não significa que você está incomodado, talvez até goste de calor.

Se você estiver **very happy** (*vé-ri hé-pi*; muito feliz), não confunda e diga **I'm too happy** (*aim tchu-u hé-pi*; estou feliz demais), lhe perguntarão "O que há de mal em estar feliz?" Lembre-se de que a palavra **too** implica uma situação que você não deseja ou desagradável. Compare **too** e **very** nas seguintes orações:

- ✔ **This car is too expensive; I can't afford it.** (*dhis car is tchu-u éks-pen-siv; ai kent a-ford it*; Este carro é caro demais; Não posso comprá-lo.)
- ✔ **This car is very expensive, but I can buy it.** (*dhis car vé-ri éks-pen-siv bât ai ken bai it*; Este carro é muito caro, mas posso comprá-lo.)

Índice Remissivo

A

Acampamento 116
accessibility 162
Accountant 123
Address 79
Adjetivos 18
Advérbios 18
afternoon 50
against the wall. 156
Alcoholic beverages 91
alk 13
all day 36
alta cocina 83
a.m 51
Andando pelos corredores 96
answered 39
apelido 69
artigos a e an 79
ashtray 110
athletic 43
A tip 164
attendent 145
Attorney 176
Attraction 108
aught 13
autobiography 45
automated teller machines 58
auxiliary verb 33
aw 13

B

backpacking 116
bad habit 10

badly 44
Baggage Claim 137
Basement 154
basic English 42
Bat 113
Bathtub 155
beautiful day 77
Bellhop 164
Below 156
Berry 9
best driver 10
Bill 56
bills 54
bite you 9
Blood 173
Blouse 101
book on the table 190
Borrowing e Lending 186
bowling 112
boxes of cereal 98
bridge 175
briefcase 121
brunch 85
B versus V 9

C

Cabinets 155
camping gear 116
Camp stove 116
Cannot 23
caprichosas 28
caráter 41
Carnegie Hall 148

194 Guia de Conversação Inglês para Leigos

cash a check 58
Cash back 100
cash register 99
Cash register 100
Casserole 87
Catcher 113
cavity 174
Cents 56
Chamber of Commerce 107
chat 63
checked off 99
checking account 59
Checkout line 100
Chest 172
Chickens lay eggs 190
Children 81
Chin 171
chives 90
Closet 155
clothing racks 103
cloudy tomorrow 76
Coffee 46
Coin 56
Coming e Going 185
computer programmer 122
Conjunções 18
conselhos práticos 6
consoantes: sonoros e surdos 7
controle de tráfego aéreo 1
cook 15
cor 41
correios eletrônicos 1
costs five bucks 54
cotidianas 28
counter 99
Coworker 125
Cross-country skiing 115
Cucumber 97
CUT 127

D

Dallas, Texas 78
Dando Caráter aos Verbos 43
Deck 154
Den 154
denominations 54
department 170
desfrutar da companhia 84
Detergent 159
dialed the wrong number 135
dine out 89
dinner 86
Dishcloth 159
Dishes 87
ditongo 14
Dizzy 174
doggie bag 93
dot 78
Downhill 115
Dresser 155
dressing rooms 103
drinking milk 38
driver's license 143

E

easy lesson 187
eat the mice 17
Einstein 27
Eldery person 75
eletronic payment 59
embalando um bebê 7
enunciados 1
Equipamento de Escritório 126
Espanha 27
Estados Unidos 4
evening 50
Event 108
Everybory 10

Índice Remissivo   *195*

exchange foreign 56
Exchange rate 57
expressando ações 24
extremely 44

F

faint 169
Fax machine 126
Feeling e Touching 189
feelings 43
Feet 73
few Miles 149
Finger 172
Firefighter 124
Fireplace 155
Forehead 172
Forest Road 78
Freckles 72
freeway 147
Friends and Lovers 179
front desk 163
Front desk 164
fun 42
funny 43
furniture 156
Furniture polish 159

G

games 79
Garden hose 159
Gas station 146
germânicas 6
gerund 111
Get back 168
glasses of milk 98
Go away 186
graduate next week 41
grammar tips 33

Grand Cânon 27
Grapes 96
graveyard shift 128
green stuff 55
grocery stores 95
Grocery story 148
Guest 157
guidebook 107

H

haircut 80
hand-shake 121
head 171
Headache 174
heard 188
Hearing and Listening 188
helpful 42
helping verb 33
hers 32
Highway 80 150
hiking trails 116
home repairs 158
housework 158
hungry 24
Hurricane 168
Hutch 155

I

ice cream 20
ícones 3
I'd 18
idioma 1
I Love Your Husband 182
Immigration 137
inches 73
infinitive 111
Information 108
Injury 169

196   Guia de Conversação Inglês para Leigos

in-law 82
inquilino 153
insert you card 59
interesting 30, 80
intersection 145
introduce myself 67
Invitation 157
ironing 159
isn't 77
I Swear! 181
it cost 27
I Wet My Pants 180

J

jaw 6
jazz 79
justing looking 100

K

keep the beat 17
Kidney 173
kind of work 78
Knee 172

L

Ladies' room 148
landlord 160
language 25
last year 36
laudry 159
Lawn mower 159
leave now 14
lending 186
Lettuce 97
lifethreatening 167
Like e Alike 188
like hamburgers 22
limbs 172
lips 6

literal 3
live now 14
Loafers 102
loan 186
local newspaper 108
Look at that 189
Luggage 164
Lying e Laying 190

M

main verb 32
make a deposit 58
Making Out at the Gym 177
Mango 96
Mashed potato 90
matinee 109
medical clinics 171
Medium build 71
Men's room 148
México 29
Microwave 155
Middle age 75
midnight 50
minimum wage 127
minutes ago 39
Mission Street 26
Mitt 114
Móbile home 154
mochileiro 116
Moose 117
Mop 158
more casual 104
More water 91
morning 50
Mountain Lion 117
mouth 6
Móveis da sala 155
Móveis do quarto 155
muffins 85
murmúrio 7

Índice Remissivo 197

Muscle 173
Mushroom 97
my friend 24
My Mom Cooks My Friends For Dinner
179

N

national park 119
nativo 2
natural disasters 167
Nauseated 174
Nephew 81
Never Make No Double
Negatives 182
next avaible teller 57
nice talking 66
nickname 69
Niece 81
Nightgown 101
nightlife 108
noisy 42
nomes americanos 63
nonstop 142
not warm 77
No U-Turn 144
No versus not 22
números cardinais 47

O

Object 21
omelets 85
Onion 97
ração plana 41
ração simples 21
ought 13

P

adrão de entonação 16
palavra interrogativa 27

Pantsuit 101
Paper clips 126
Paper Money 56
park ranger 118
Passatempos 118
pastries 85
patienter 105
paycheck 127
Pedestrian 145
peers 73
pepper shakers 88
pharmacy 148
Phone number 79
Pineapple 97
pitch 113
Please send 14
Plumber 160
p.m 51
possessive adjectives 31
posters 108
Potato 97
Preposições 18
preposições de espaço 156
Preposições de lugar 150
present perfect tense 118
price per gallon 145
private sleeper 141
processo mecânico 7
profissões específicas 123
profit 126
Pronome de Tratamento 70
Pronunciação 5
pump 145

Q

qualidade 41
quantidade 41
quarter to four 51
Quitting time 129

198   Guia de Conversação Inglês para Leigos

R

Raccoon 117
radiocomunicações 1
Railroad Crossing 144
rainforests 118
raízes latinas 6
rarely 44
Republic of China 46
rhythm 17
right-hand side 144
Roofer 160
round-trip ticket 141

S

sabor 41
Sandals 102
schedule 129
school yesterday. 37
schwa 16
Scratch 174
seat 89
Seeing, Looking At e Watching 189
sentido de direção 151
Shape 73
Sherbet 92
short vowels 12
Siblings 81
Sick 171
side dishes 87
Silverware 87
sink 8
Sink 155
Size 73
Skinny 71
Slacks 101
slangs 65
Slippers 102
sneakers 102
some 98

South America 46
spare time 111
Squash 97
stadium 113, 114
Stick shift 144
Stop sign 145
store 38
Stove 155
Strawberry 97
Strawberry blond 71
study 39
Subject 21
subject pronouns 29
Substantivos 18
Substantivos Quantitativos 98
Such e So 187
suddenly 16
sufixo 19
sunglass 20
sunny today 76
supermarket 95
Sweater 101
Swimsuit 102
symptoms 173

T

tablecloth 88
tackle 114
taxi fares 141
Teller 58
Terrific 65
textura 41
th 8
thanks 8
the check 92
these letters 14
they're 23
Thigh 172
this book 25
this town 80

Índice Remissivo 199

those 8
though 15
three lettuces 97
tink 8
típica casa estadunidense 153
tipo de tempero 89
tires 146
to break the fast 85
toe 15
toilet 158
to invite 9
toll-free numbers 161
to meet 67
tongue 6
Too e Very 191
touchdown 114
tourist information 108
trainers shoes 102
transaction 56
Transaction 57
transfer/ eletronic 59
traveler's checks 58
trek 116
Tuesday e Thursday 191
turned around 151
two apples 97
type of transaction 59

U

unleaded 146
U.S. currency 56
Utility room 154

V

Verb 21
Verbos auxiliares 18

verbo was 76
versões informais 65
Viagens longas 141
Voiceless 7

W

warn 169
Wassup 66
weather 76
Welcome 157
what 25, 75
What's up 66
when 25
where 25, 75
Where I Leave My Privates 181
why 25
Wildflowers 118
wildlife 117
Wiley & Sons 124
withdraw cash 59
women's size 102
Wonderful 65

Y

Yard 154
yellow bananas 42
Yield 144
Yosemite three times 119
your mouth 16
yours 32
Your Wife Is Very Homely 178
You Smell! 178
yummy 33

Z

zebras 188

Impressão e Acabamento | Gráfica Viena

www.graficaviena.com.br